Winnie the Pooh

培养孩子好性格的

80个经典维尼故事

第二版

童趣出版有限公司编　　人民邮电出版社出版
北 京

辉煌80年，风靡全世界

一切都要从1921年说起……

小婴儿克里斯托弗·罗宾过一周岁生日的时候，得到一只叫爱德华的泰迪熊，那是爸爸精心为他准备的第一份生日礼物。罗宾的爸爸是英国最知名的剧作家之一，名叫艾伦·亚历山大·米尔恩，后来他把这只泰迪熊和罗宾都写进了精彩有趣的故事里。米尔恩先生就是小熊维尼的创造者。

艾伦·亚历山大·米尔恩
(Alan Alexander Milne) (1882~1956)

他的名字叫维尼

1925年12月24日，小熊维尼的故事第一次登上《伦敦晚报》。第二天，恰逢圣诞节，英国著名的广播电台BBC播出了这个故事。一只叫维尼的小熊被全英国人深深地记在了心里。从此，小熊维尼的故事接连不断地走进了人们的生活。

小熊维尼的世界——百亩林

1926年10月，这个深受欢迎的故事和米尔恩创作的另外9个故事一起出版了，这本书就是我们熟知和喜爱的《小熊维尼》。书中除了维尼，还出现了以罗宾的玩具为原形的小猪、屹耳、跳跳虎、袋鼠妈妈和小豆，而猫头鹰和兔子瑞比是玩具中没有的，这是米尔恩以他家的度假农场附近的动物为模特创造出来的。度假农场的风

光景色也都被米尔恩拿来，作为百亩林的蓝本——写进了维尼的故事里。

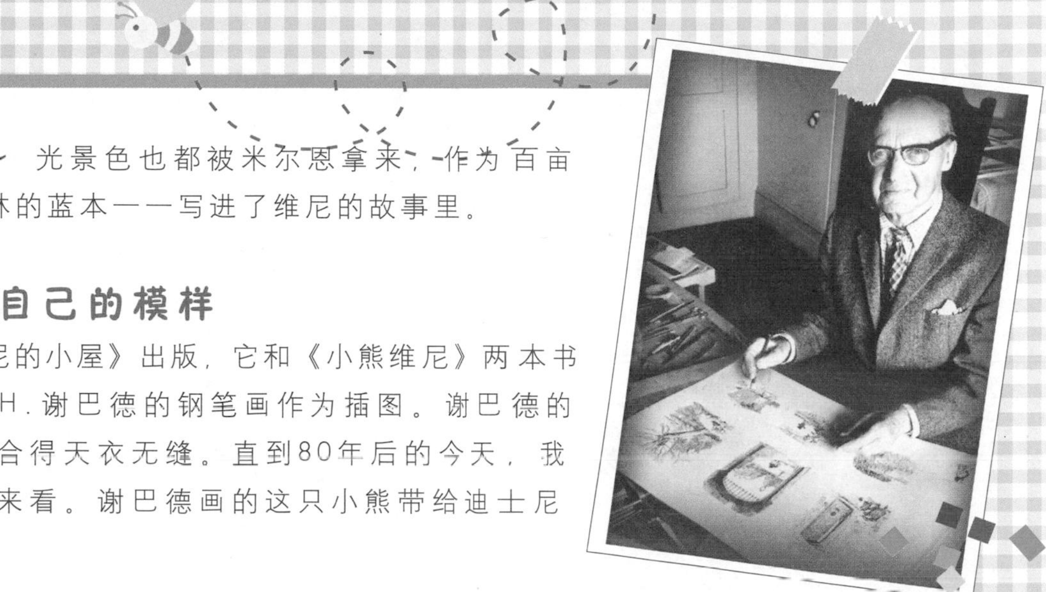

E.H.谢巴德（Ernest Howard Shepard）
（1879~1976）

小熊维尼有了自己的模样

1928年，《小熊维尼的小屋》出版，它和《小熊维尼》两本书都采用了著名插画家E.H.谢巴德的钢笔画作为插图。谢巴德的插图和米尔恩的文字配合得天衣无缝。直到80年后的今天，我们仍然无法将二者分开来看。谢巴德画的这只小熊带给迪士尼的创作者们很大的启发。

加入迪士尼大家庭

1961年，迪士尼公司买到了小熊维尼的版权。1966年发行了第一部卡通短片——《小熊维尼与蜂蜜树》。1969年，短片《小熊维尼与大风吹》获得"奥斯卡最佳动画短片奖"。《小熊维尼与跳跳虎》也获得提名。

小熊维尼初登大银幕

1977年，迪士尼将这三部短片整合在一起，命名为《小熊维尼历险记》，它是迪士尼第22部经典动画，在电影院上映后，大受欢迎！1983年，小熊维尼首次在迪士尼频道露面，推出了新节目"欢迎来到维尼角"。2000年2月11日，第一部小熊维尼的电影版卡通《跳跳虎历险记》在美国上映，受到观众的青睐。2005年推出了《长鼻怪人冒险》，调皮可爱的小象胖胖第一次在屏幕上和大家见面，也再次掀起小熊维尼的全球热。

星光大道上的大明星

2003年，小熊维尼和他的伙伴们以年创造财富59亿美元的佳绩，高居福布斯最有价值虚拟人物排行榜第一位！2006年4月，维尼和伙伴们走上了好莱坞的星光大道。

大家认识一下吧
屹耳 Eeyore
大块头儿，悲观消沉，总认为自己事事不顺，他很值得信赖，能与别人友好相处。
小熊维尼 Winnie the Pooh
胖胖的，圆圆的。最喜欢憨憨地笑，酷爱吃蜂蜜，是个无忧无虑的乐天派。
小猪 Piglet
小个子，善良、胆小、乐于助人，有些自卑，在朋友的鼓励下也会勇气十足。
小豆 Roo
小个子，活泼好学，肯帮妈妈干家务，有很强的好奇心和求知欲，是个小冒险家。
袋鼠妈妈 Kanga
小豆的妈妈，温和、善良、慈祥，做一手好菜，总把家里收拾得很整洁。
跳跳虎 Tigger
大个头儿，调皮、开朗，最喜欢蹦蹦跳跳，冒失、冲动，常制造小麻烦。
瑞比 Rabbit
耳朵长，尾巴短。聪明、勤劳、爱干净，做事有主见，重友谊，脾气有些急躁。
胖胖 Lumpy
一头小象，天真、可爱，和象妈妈住在百亩林的边上，是大家的新朋友，和小豆最亲密。
罗宾 Christopher Robin
小男孩，百亩林里唯一的人物形象，非常聪明，乐于助人。

美好性格，成就人生

行为成习惯，习惯成性格，性格成命运；
一个人性格的好坏，将直接影响他能否成功；
从小培养孩子好性格是决定他一生的大事。

这本小熊维尼的故事书，可以有效地帮助家长朋友，轻松开启孩子的心灵之门，培养孩子受益一生的好性格。

和小熊维尼交朋友，笑口常开，快乐常在；和小熊维尼一起成长的日子，每天都是幸福的、快乐的、难忘的……

在本书精选的80个小熊维尼经典故事中，分别以“培养好性格”、“学会动脑筋”、“友谊贵如金”、“亲近大自然”四大主题为引领，带领孩子在温馨的百亩林世界里，了解生活的点滴，学会生活的道理，在小熊维尼的奇妙故事中，体验美妙人生，培养良好性格。

维尼和伙伴们的故事不仅会给孩子的童年增添几抹灿烂的金色，而且会给孩子一把通往成功的钥匙——受用一生的好性格。

目录

培养好性格

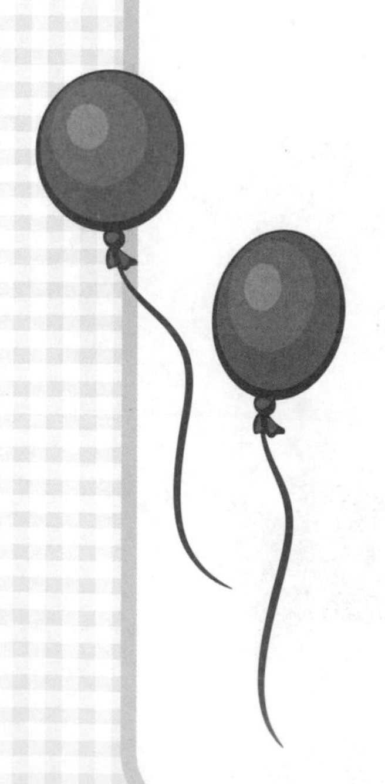

学会动脑筋

友谊贵如金

亲近大自然

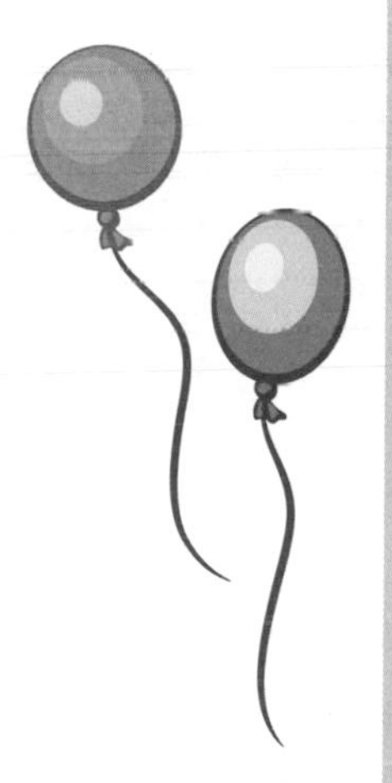

能得到朋友的帮助会很快乐，但在获得帮助的同时你也要想想：朋友是否也需要你的帮助呢？

乐于助人的胖胖

一个晴朗的夏日，小象胖胖有事想找人帮忙，于是，他来到百亩林找小伙伴们。他最先碰到了维尼，维尼正在一棵大树下够蜂窝呢！

胖胖看到后“咯咯”地笑了，他用长鼻子压低了树枝，于是蜂窝里的蜂蜜一点一点地流进维尼的蜂蜜罐里。维尼高兴地夸(kuā)赞(zàn)道：“你的长鼻子可真有用啊！”

然后，维尼就忙着吃蜂蜜，顾不上胖胖了。胖胖只好去找别人了。他看到瑞比正在菜园里“吭哧吭哧”地拔胡萝卜。

“哎呀，这活儿可真费劲！”瑞比气(qì)喘(chuǎn)吁(xū)吁(xū)地说。胖胖“哧哧”地笑了，他用长鼻子轻(qīng)而(ér)易(yì)举(jǔ)地就把萝卜拔了出来。“你真帮了大忙，胖胖！”瑞比高兴地说。

接下来，瑞比忙着把胡萝卜装袋，也没工夫搭理胖胖了。胖胖只得

再去找别人。

胖胖经过小猪家时，见小猪正在打扫屋子，满屋的灰尘弄得他直

咳(ké)嗽(sou)。胖胖咧(liě)开嘴笑了，接着深深地吸了一口气。

胖胖用他的长鼻子呼出一大口气，把灰尘都从后门吹了出去。“谢谢你，胖胖！”小猪手舞足蹈地说。胖胖以为这次他终于找着人帮忙了，可小猪又抓起一块抹布说：“我该擦(cā)窗户了！”胖胖见大家都没工夫帮他，失望地耷(dā)拉(la)下脑袋，无精打采地往回走。

小猪突然意识到胖胖好像很难过，于是，他连忙冲出去告诉其他人说：“胖胖帮了咱们，可咱们只顾忙自个儿的，谁都没发现胖胖可能也需要人帮助！”

小伙伴们急忙追上了胖胖，关切地问他：“胖胖，有什么事需要我们帮忙吗？”胖胖听了终于开心地笑了。

胖胖不好意思地说：“我想让你们跟我一起玩捉(zhuō)迷(mí)藏(cáng)，因为我自己没法儿玩。”大伙儿听完都笑了。“一、二……”胖胖开始数数了，大家连忙藏起来……

小朋友，胖胖喜欢帮助别人，我们要好好向胖胖学习。向需要帮助的朋友送去关怀，献上一份爱心，让我们的世界更美好！

做任何事情都要拿出认真的态度，投入全部的感情，最终会得到满意的回报。

维尼种南瓜

一个阳光明媚的春日，小熊维尼和罗宾看到瑞比在园子里播种。维尼好奇地问：“瑞比，你在种什么呀？”“南瓜种子。”瑞比回答。

维尼说：“我也想种。我一定好好照(zhào)料(liào)它！”于是，瑞比给了维尼一粒种子。维尼和罗宾一起把它种在了维尼家旁边。

维尼说：“我要坐在这儿看着南瓜长大。”罗宾微笑着回答：“南瓜要到秋天才会长大呢，你得在这儿坐很多很多天！”

维尼才不在乎呢，他把所有的蜂蜜罐子都搬(bān)了出来，一边盯着南瓜地，一边吃蜂蜜。就这样从春天到了夏天。

仲夏的一天，小猪路过这里。他说：“维尼，你种的藤(téng)条(tiáo)真好看！”维尼有些难过地说：“可是我想要的是南瓜，不是藤条。”

夏天快结束的时候，藤条上又开了一朵花。猫头鹰夸赞道："维尼，你种的花开得真不错！"维尼不高兴地回答："唉！我想要的是南瓜，不是花。"尽管如此，维尼还是一如既往地照料它。

天气渐渐转凉(liáng)了，树叶也开始变了颜色。一天，屹耳路过时对维尼说："你的藤条上长了个绿球球。"维尼伤心极了，低声说："唉！我想要的是南瓜，不是绿球球。"

日子一天天过去，绿球球越长越大，维尼的肚子也越来越大。最终，绿球球变成了一个大大的南瓜。大家都跑过来看。

他们看看维尼，又看看南瓜。跳跳虎笑着说："维尼，这个南瓜和你的肚子长得一模一样。"罗宾说："傻小熊，你那么精心地照料南瓜，结果连你自己都跟着南瓜一起长大了。"

接着，罗宾建议说："我们一起把南瓜刻(kè)成万圣节南瓜灯吧。"于是猫头鹰刻了眼睛，瑞比刻了鼻子，小猪刻了嘴巴。瞧，维尼的南瓜成了百亩林里最漂亮的万圣节南瓜灯！

从南瓜种子长成大南瓜，过程非常漫(màn)长(cháng)，可小熊维尼自始至终都精心地照料着它，总算等来了收获的喜悦！小朋友，请你记住：一分耕(gēng)耘(yún)，一分收(shōu)获(huò)！它会让你一生受益！

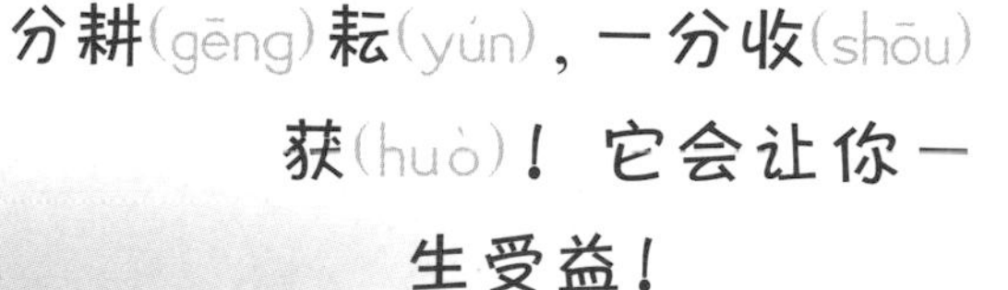

不是谁都能发现生活中的乐趣与惊喜，
你必须有一双善于捕捉和发现的眼睛！

维尼的新帽子

贪吃的小熊维尼又在找蜂蜜吃了。“要是能找到一些我以前忘了吃的蜂蜜，那该多好啊！”维尼痴痴地幻(huàn)想(xiǎng)着。

可是维尼翻(fān)箱(xiāng)倒(dǎo)柜(guì)，也没找到几滴剩下的蜂蜜，却不小心把一个蜂蜜罐扣在了头上，黏(nián)黏的蜂蜜粘住了罐子和维尼的头，怎么都取不下来。“噢，真糟糕！”维尼皱着眉头说。

维尼使出了浑身的力气想把蜂蜜罐拿下来，可是蜂蜜罐却牢牢地粘在头上，一动也不动。维尼气急败坏地说：“这下可怎么办呢？我头上戴(dài)着个蜂蜜罐，怎么出去见人呢？”

就在这时，跳跳虎一蹦一跳地从维尼家经过，刚好看见维尼头上

戴着蜂蜜罐的样子。跳跳虎心想：“秋天到了，维尼给自己准备的帽子可真时(shí)髦(máo)！”

跳跳虎急急忙忙地跑回家，找了一口炖(dùn)锅(guō)扣在了自己的脑袋上。“哈哈，这下我看起来跟维尼一样时髦了！”跳跳虎高兴地说。

瑞比看见跳跳虎这副模样，忍不住大笑起来。“你根本就不懂时髦！”跳跳虎不(bù)屑(xiè)一(yī)顾(gù)地瞪了

瑞比一眼，继续神气十足地往前走。

瑞比虽然觉得挺可笑，但还不想被人说成不懂时尚，于是他回到家后，也找了一个花盆扣在了头上。

没过多久，百亩林里所有的居民头上都戴了一顶像罐子之类的“帽子”。

而就在这时，维尼终于把蜂蜜罐从头上拔了下来。“谢天谢地！我还以为这个蜂蜜罐永远下不来了呢。”维尼笑着说。

可是，当维尼看到其他人头上都戴着一顶特殊的“帽子”时，他又觉得自己好像显得不太合群儿，于是连忙回去把蜂蜜罐重新戴在了头上。

大家看见维尼头上也戴着一顶新潮的“帽子”，都热情地邀请他一起去野餐。“哈哈，我的新帽子居然给我带来了许多蜂蜜呢！”维尼一边吃一边开心地说。

小朋友，你们看，生活中其实处处充满了乐趣。只要我们怀着一颗善(shàn)良(liáng)的心，用乐观的心态看待一切，就能随时随地发现乐趣。同时也会用快乐去感染身边的每个人。

每个人身上都具有不同于他人的性格、特征与喜好，要尊重他人，要怀着平常心对待这些不同。这样做也会赢得对方的尊重。

蹦蹦跳跳的跳跳虎

一天，小豆和跳跳虎约好一起去蹦蹦跳。他们兴(xìng)高(gāo)采(cǎi)烈(liè)地出发了！

跳跳虎和小豆跳着来到一棵大树下。小豆问："你们跳跳虎会爬树吗？"跳跳虎说："当然啦，不过我们可是跳上去的！"

跳跳虎弯下腰(yāo)让小豆跳到他肩上。咚！咚！咚！不一会儿，他们就跳到了树顶。跳跳虎往下一看，脑袋直发晕(yūn)。

小熊维尼和小猪刚好从这里路过。"救命啊！"跳跳虎连忙朝下面大喊。维尼和小猪赶紧找来大伙儿帮忙。"真糟(zāo)糕(gāo)！"袋鼠妈妈担心地说。瑞比可不这么想："这样挺好，跳跳虎就不能乱蹦乱跳了！"

"得先把他俩救(jiù)下来。"罗宾说着脱下外套,和维尼一起抓住外套的四角儿。小豆大喊着从树

梢上跳下，落到了外套上，可跳跳虎却不敢。

“要是能回到地上，我发(fā)誓(shì)再也不蹦蹦跳跳了！”跳跳虎喘(chuǎn)着粗气说。瑞比立刻竖起耳朵喊道：“我可听到了！”过了一会儿，跳跳虎顺着树干慢慢地滑了下来，“扑通”一声落在了松软的雪地上。他别提多高兴了！瑞比喊道：“你刚说过不再蹦蹦跳跳了！”“永远都不能吗？”跳跳虎问。“永远不能！”瑞比坚定地说。跳跳虎垂(chuí)头(tóu)丧(sàng)气(qi)地转过身去。

小豆感叹说：“我还是喜欢以前那个蹦蹦跳跳的跳跳虎。”其他人也表示赞同，只有瑞比不出声。袋鼠妈妈问：“瑞比，你说呢？”“嗯，我……这个……唉！我也更喜欢从前的跳跳虎。”跳跳虎高兴极了，不过他怕瑞比改变主意，连忙说：“瑞比，咱俩一起来蹦蹦跳吧！”

瑞比怕自己不行，试着轻轻地蹦了一下，咚！然后又稍(shāo)微(wēi)用力地蹦了一下，咚！不一会儿，他就蹦蹦跳跳起来了，简直跟跳跳虎一样！

小伙伴们也都高兴地跟着蹦起来……

每个人都有自己的兴趣和爱好。大家彼此之间都应该尊重各自的选择，学会替别人着想，而不能只顾自己的感受。好朋友之间就更应如此！小朋友，你说呢？

借用物品前要向对方打招呼，声明什么时候归还，征得人家的同意才可拿走。可千万不要悄悄“拿”走哦！

跳跳虎搭帐篷

一个盛(shèng)夏(xià)的早晨，小猪和维尼去小豆家串门，正好看见他在院子里摆弄床单和木棍。维尼问：“你在干什么，小豆？”

“我在搭帐(zhàng)篷(peng)！”小豆看到他俩高兴极了，就提议大家一起来搭。维尼和小猪觉得这主意不错，就动手和小豆一起干起来。

一会儿，跳跳虎也来了，纳闷儿地问：“你们怎么这样晒(shài)床单啊？”小猪解释道：“我们在搭帐篷呢！”

“太好了！我也参加！”跳跳虎

说着，一阵风似的跑得没影了。维尼忙问：“你要去哪儿？”远处传来跳跳虎的喊声：“我去找床单！”

不一会儿，跳跳虎就蹦蹦跳跳地回来了，怀里竟然还抱着三条床单。“我还给你和小猪一人挑了一条呢，我们可以每人搭一顶帐篷了。”跳跳

虎还挺为别人着想呢!

于是，大伙儿马上又动手搭了三顶帐篷，跳跳虎毛手毛脚的，总是把帐篷弄塌(tā)。还好，总算赶在傍晚之前完工了!

大家兴奋地钻(zuān)进(jìn)各自的帐篷，维尼得意地说:“真棒，多亏你把床单借(jiè)给我们。”跳跳虎有点儿不好意思地说:“没什么，唔，其实也不是我的床单。”“啊?那是谁的?”维尼和小猪异口同声地问道。

他们正说着，耳边传来一阵尖(jiān)厉(lì)的叫喊。“瞧瞧，你们拿我的床单都干了些什么!”瑞比气得满脸通红，跳跳虎还故意逗(dòu)他说:“你的床单还真不赖(lài)呢!”

维尼和小猪赶紧跟瑞比道歉。这时，袋鼠妈妈也来了，她批评跳跳虎说:“跳跳虎，以后拿别人的东西之前一定要征得人家的同意才行!”

“对不住了，老兄!”跳跳虎抱(bào)歉(qiàn)地说。这时，瑞比的气也消得差不多了:“算了，算了，我一猜就知道是你们拿去搭帐篷了。”大家说着哈哈笑了起来……

就像袋鼠妈妈说的，拿别人的东西之前，必须要征得人家的同意，这是每个小朋友应该懂得的道理。好在跳跳虎认识到了自己的错误，瑞比也原谅了他。多一份尊重，多一份宽容，世界才会变得更美好!

小朋友缺乏生活经验容易被坏人骗，所以生活中要处处小心，不要轻易相信陌生人说的话，牢记妈妈教的安全守则。

别跟陌生人说话

一个阳光灿(càn)烂(làn)的午后，小熊维尼和小猪坐在树下悠(yōu)闲(xián)地晒着太阳。罗宾沿着小路走过来。

维尼好奇地问："你要去哪儿呀？"罗宾说："我要去奶奶家吃晚饭。"

小猪一听，担心地问："你要自……自己一个人到外面去啊？多危险呀！"

罗宾说："没关系，袋鼠妈妈写了一张'安全守则'让我带着。记牢(láo)了它就没问题！"

维尼问："'安全守则'？我们可以一起学吗？"

罗宾说："当然！里面最重要的一点就是：不要跟陌生人说话。"

小猪问："为什么不能跟陌生人说话呢？"

罗宾说："因为我们很难判(pàn)断(duàn)他们的好坏。所以，最好的办

法就是不和他们说话。好啦，我得走了，我可不想错过奶奶的晚餐。”

维尼也不想错过他的晚餐，他邀请小猪一起回家吃。他们正吃着，突

然听见一阵奇怪的声音。“说不定是有人带蜂蜜来拜(bài)访(fǎng)我们的呢！”维尼一边说，一边准备开门。

小猪赶忙挡住他说：“不行，要是不认识的人怎么办？”

维尼只好透(tòu)过窗户往外看。“原来是谷佛！是我请他来修(xiū)门牌的。”维尼突然想了起来。他打开门对谷佛说：“谢谢你，谷佛！进来和我们一起喝茶吧！”

维尼泡好了茶，又听到有人敲门，连忙问：“是谁啊？”

罗宾大声回答：“是我，罗宾！”

“维尼！你真是一只聪明的小熊。”罗宾一进门就夸(kuā)奖(jiǎng)维尼。

维尼高兴地问：“真的吗？为什么呀？”罗宾说：“因为你已经学会了第二条安全守则，那就是先问清楚再开门。”

罗宾接着说：“我奶奶让我带了些蜂蜜饼干，大家快吃吧。”

维尼边吃边问：“真香！我明天还想吃，行吗？”罗宾笑着说：“既然你们都学会了安全守则，那明天我们就一起去奶奶家，好好吃个够！”

小朋友，故事中的安全守则你都记牢了吗？这可是防止上当受骗(piàn)很重要的两条！快让妈妈也给你列一些安全守则，好好学习，用心记牢。

在得到的同时也要学会给予，一件小礼物，一句温暖的话语，让对方感到你在乎他。你会发现给予的感觉和得到的感觉一样幸福！

给予是最好的礼物

一天，小熊维尼坐在家里打(dǎ)量(liang)起自己的房间来。家里到处都摆着朋友们送的礼物：袋鼠妈妈织的红色手套、小豆送的蓝色风筝……维尼心想："我也应该为朋友们做点儿什么！"

他找到罗宾，神(shén)秘(mì)地说："罗宾，我想给每个朋友送一份礼物，可又不想让他们知道礼物是我送的。"

罗宾提议说："那就把每件礼物都写上'神秘朋友赠(zèng)'怎么样？"维尼使劲点点头。

袋鼠妈妈第一个收到礼物盒，上面写着："你总是那么友好善良，送份小礼物请你品尝。它黄黄的、甜甜的，非常适合你！神秘朋友赠。"袋鼠妈妈打开盒子，里面是一瓶蜂蜜。"哦！肯定是小豆送的！他总爱跟我一起烤蜂蜜蛋糕。"

下一个收到礼物的是跳跳虎，他的礼物是一条橘(jú)色条纹的围巾。跳跳虎把围巾戴(dài)在脖子上，高兴地

喊："我太喜欢了！我猜一定是小猪送的。"

紧接着，小豆和小猪也收到了礼物。百亩林里每个人都很开心，大家纷纷聚(jù)拢(lǒng)到一起准备回赠礼物，可奇怪的是谁都不承认自己就是那个"神秘朋友"。

小豆问："妈妈，不是你吗？""不是，我还以为是你呢。"袋鼠妈妈回答。小猪问跳跳虎："不是你送给大家的惊喜吗？"跳跳虎摇(yáo)摇头说："不是啊！让我想想：送礼物的人喜欢蜂蜜，还喜欢我身上的条纹……""而且还是我们大家的好朋友！"小猪补充说。

这时，大家都把目光投向了一言不发的维尼，维尼赶紧红着脸低下头。大家立刻异口同声地说："维尼，一定是你！"

"唔，是……是我。"维尼说，"我本不想让你们知道，也不想让你们回送我礼物。"

"为什么？"跳跳虎问，"收到礼物多开心呀！"

袋鼠妈妈替(tì)维尼回答说："因为给予就是最好的礼物！给予比得到更令人开心啊。"

"给予是最好的礼物"这句话说得真棒，小朋友要好好体会其中的道理，从小事做起学着去"给予"。

做了错事一定要敢于承认、尽力弥补，这样才能获得别人真诚的谅解。

猫头鹰的名人凳

一天，小豆跟在跳跳虎身后，兴高采烈地在百亩林里跳来跳去。跳跳虎提(tí)议(yì)一起去猫头鹰家做客。

猫头鹰热情地接待了他们："真巧！我刚刚收到一件礼物——猫头鹰家族的名人凳(dèng)，我正想让你们来看看呢！"

小豆说："可这板凳看起来很旧。"猫头鹰笑着说："当然了，小豆，所以

你们千万不能在它上面蹦(bèng)！"

这时，跳跳虎大喊一声："维尼来了！"小豆问："在哪儿？"说着，他一下子就跳到名人凳上，想踩着它向窗外看，结果板凳的一条腿"啪"的一

声断了！小豆赶紧把板凳推回原地，以免被猫头鹰发觉。他悄悄地对跳跳虎说："我需要你帮个忙。"说着他给跳跳虎看了看摔(shuāi)断了的凳子腿。

跳跳虎趁猫头鹰不注意，一把拽起凳子和小豆，急急忙忙逃出去想办法。他们先来到维尼家，打算借(jiè)些

蜂蜜把凳子腿粘上。可是凳子腿不但没有粘上，反倒给弄得黏(nián)乎乎的。

跳跳虎拍拍脑袋说："有了！再

用豆秧(yāng)试试。"于是，他们连忙跑到瑞比的园子里，拽(zhuài)了一根青豆秧，紧紧地缠住凳子腿。可是不一会儿豆秧就断了。

小豆说："咱们还是想别的办法吧。"这时，屹耳恰巧经过，他们就向屹耳借他吃的野蓟草。可是野蓟草总是支棱着，根本没法绑(bǎng)。

最后，他们只好去找罗宾。罗宾看了看凳子，说："我想我能修好。不过，小豆，你应该跟猫头鹰讲真话。"

小豆有些犹(yóu)豫(yù)："可我还没告诉妈妈和猫头鹰呢。""来吧，小豆，"跳跳虎说，"我陪你回去告诉他们。"

跳跳虎跟小豆回到家时，猫头鹰已经在那里等着了。小豆解释完事情的经过，忐(tǎn)忑(tè)不安地低下头等着挨批。可是猫头鹰却笑着说："小豆的表现值得表扬，他才是勇于讲真话的好孩子。"

听到猫头鹰这样说，小豆高兴极了，他大声宣布："从现在起，我要永远讲真话！"

小朋友，请记住：不小心做错了事，千万不要逃(táo)避(bì)，鼓起勇气讲真话才是最好的解决办法。

去干别人交待的事之前，首先要认真倾听，理解别人的意图，才能把事情办好。千万不能冒冒失失、三心二意，否则什么事也做不好！

“没长耳朵”的跳跳虎

这一天是罗宾的生日。小熊维尼把百亩林里所有的朋友都召集起来，打算为罗宾举办一个“惊喜生日会”。

维尼说：“我们要准备气球、帽子，还有……”

“那我能做些什么？”跳跳虎兴奋地跳个不停，“是挂彩带？还是吹气球？”

瑞比气哼(hēng)哼地说：“你能不能先好好听呀！”

“没问题，伙计，”跳跳虎说，“我在听呢！”可是，跳跳虎一刻也不安生，根本没听见大家说了些什么。分配完任务，朋友们都开始为生日会作准备，跳跳虎也忙活起来。

袋鼠妈妈和小豆吹好气球，让跳跳虎帮忙挂起来。他没听清就去干，还把气球弄爆(bào)了。跳跳虎抱(bào)歉(qiàn)地说：“下次我一定听仔细些。”

瑞比烤蛋糕需要一点儿蜂蜜，让跳跳虎去倒。可跳跳虎把“一点儿”听成了“一罐儿”，把一整罐蜂蜜全倒了下去，弄得满地都是。跳跳虎不好意思地说：“下次我一定听清楚些！”

跳跳虎又去帮小猪卷彩带，这次他又没好好听指(zhǐ)挥(huī)，还把小猪缠在了带子里。跳跳虎说：“唉！再给我一次机会吧，我保证认真听！”

猫头鹰说：“那你去把罗宾带到

生日会场来吧。”话还没说完，跳跳虎就蹦蹦跳跳地出发去找小寿星了。麻烦的是，他竟然忘了生日会要在哪儿举行，他带着罗宾挨家去找，还是没找到伙伴们。

伙伴们等了很久，他们还是没有来，就决定出来找他们，大家总算碰到一起了。“噢，真糟(zāo)糕(gāo)！”跳跳虎伤心地说，“猫头鹰告诉我地点的时候，我没有认真听。”

维尼安慰他说：“没关系，以后注意就可以了！”

猫头鹰也说：“这件事一定给跳跳虎上了一课，他肯定学会了注意听别人说话。”

“你说得对！”跳跳虎诚心诚意地对罗宾说，“对不起，没能给你一个惊喜。不过从现在起，我保证学会去全神贯(guàn)注地听。”

小朋友，无论做什么事，最重要的就是全神贯注。所以，当别人跟你讲话时，一定要竖起耳朵认真听才行哦。

"谢谢你"是最神奇的魔力词，经常说起它会让你周围每个人感到快乐和满足。

神奇的魔力词

一天，罗宾来到小熊维尼家。"维尼，这是特(tè)意(yì)为你画的。"罗宾将礼物递给维尼。"它可真美！"维尼赞叹地说。

罗宾停了一下问道："维尼，你难道不记得还应该再说一个魔(mó)力词吗？"维尼挠(náo)着头想了半天也想不起来，他决定去问问朋友们。他先找到了屹耳。"魔力词？"屹耳说，"让我试试——哼的么，哼么的么。"可他说完后什么也没发生。"我猜这不是魔力词。"维尼只好和屹耳告别，循着香喷喷的气味来到瑞比家。

瑞比正在烤蜂蜜面包呢。维尼问："我能尝一小块吗？就一小块！"瑞比点了点头。于是，维尼马上迫(pò)不及待(dài)地吃起来，不一会儿就把面包吃光了。

瑞比叹了口气："我的面包！我想你应该说些什么吧？"维尼咕哝着，突然大叫起来："呼库卜库噗库！""停！"瑞比不耐(nài)烦(fán)地叫道。"对不起，我猜这些词也不对。"维尼急忙道歉，匆匆地离开瑞比家。

不一会儿，他碰到了跳跳虎。“魔力词？让我给你想想看！”跳跳虎一

边唱一边蹦，“嘻噼呀噼——呜呼呼！”这时，猫头鹰从窗户探(tàn)出头来说：“这可不是什么魔力词。”

维尼只好继(jì)续(xù)寻找魔力词。小豆跑过来听了维尼讲述的烦(fán)恼(nǎo)，决定带他去问妈妈。“维尼，”袋鼠妈妈说，“当有人给你画了一幅画，给你好吃的东西或者帮助了你，确(què)实(shí)有一个非常特别的魔力词可以说。”

这时，维尼发现他只顾着想魔力词了，却没注意到朋友们都跟着他来到了小豆家。维尼赶忙说：“也许我不应该再想魔力词了。不过还是要谢谢你，袋鼠妈妈。”

“谢谢你？！”维尼好像意识到了什么，当朋友们围(wéi)拢(lǒng)过来的时候，他兴奋地喊道：“对了！这就是一个魔力词！它让每个人都感到不一般，我再也不会忘了！谢谢你们大家！”

“谢谢你”一说出口，马上换来对方和善的笑脸，增进了感情，拉近了距离。小朋友，你说它是不是很神奇？不信你就试试。

做了错事及时弥补，结果往往也不坏，“亡羊补牢，为时不晚”讲的就是这个道理。

松饼蛋糕

小猪邀请了伙伴们来吃小松饼，于是一大早就起来准备。可他一打开壁(bì)橱(chú)，就急出了一头汗：面粉、蜂蜜和草果都用完了！

“哦，糟糕！我得去采些草果，还要借些蜂蜜和面粉。但愿这不会浪(làng)费(fèi)太长时间。”小猪想着就跑到林子里捡(jiǎn)草果，还好很快就捡了满满一篮(lán)子。这时，跳跳虎蹦到了他身边，一不小心踢(tī)翻了篮子，小猪只得重新装(zhuāng)了一遍。“天哪！”小猪着急起来，“时间不早了。我得快点儿去借面粉和蜂蜜。”

小猪飞快地向维尼家跑去。“维尼！”小猪大喊着，“能借给我点儿蜂蜜吗？”“噢，当然可以。”维尼走到碗(wǎn)橱(chú)前，拿起一罐蜂蜜递给小猪。“谢谢你。”小猪说完，急匆匆地走了。

随后小猪来到瑞比家借面粉。瑞比问：“是做小松饼吗？我去帮你吧。”

“那太好了。”小猪高兴地说。于是，他们一起回到小猪家。

“让我瞧(qiáo)瞧，”瑞比说，“我们一次可以做九个小松饼。也就是说，每人都能有一个。”

小猪一边听瑞比说话，一边算着松饼的数量，结果和的面里多放了好几勺发酵(jiào)粉，更糟糕的是他根本没觉察！

小猪打开烤箱时，他看见了一个膨(péng)胀(zhàng)得巨大无比的松饼！小猪惊叫起来：“天啊，小松饼聚会完蛋了。”可小猪不想让伙伴们失望，他使劲想着补救办法。“啊，有了！”他迅速拿出几个碗，调好不同颜色的糖(táng)霜(shuāng)抹到松饼上。几分钟后，朋友们一起出现在他家门口。小猪把大伙儿带到桌旁，当他们看到小猪做的巨大的五彩松饼时，惊讶得差点儿说不出话来。

“哇，小猪！”袋鼠妈妈赞(zàn)叹(tàn)道，“好漂亮的蛋糕啊！”

小猪把涂(tú)着不同颜色的松饼分给每一位朋友品尝(cháng)。朋友们吃得开心极了，小猪自己也觉得这是他做过的最好吃的松饼。

小朋友，如果你做的事情不太顺利，不要灰心，尽力弥补就好！一定记住：只要尽力去挽回，事情的结果就远没有那么坏！

宽容、大度是一个人应该具备的美好品德。学会宽容你就不会经常陷于烦恼当中。

跳跳虎的拿手戏

一天，瑞比正在菜园里边干活边想美事。突然，从远处传来了“砰——砰——”的声音，没等他反应过来，就已经四脚朝天摔倒在地上了。

不用猜又是跳跳虎闯(chuǎng)的祸(huò)，他撞倒了瑞比后还不停地四处蹦呢！

当天晚上，瑞比召集大家来开会，他说：“我们得让跳跳虎老实点儿！明天我们到树林里玩，想办法先让跳跳虎迷(mí)路(lù)……然后当我们找到他时，他就会很高兴，也会变得老实一些！”

第二天一大早，瑞比、维尼、小猪和跳跳虎就出发了。跳跳虎在前面蹦着，瑞比对维尼和小猪使了个眼色，三个人迅(xùn)速(sù)藏了起来。

走在前面的跳跳虎转过身来，发现人都不见了，马上四处寻找。躲(duǒ)在一旁的瑞比、维尼和小猪看到跳跳虎走远了，就开始往回家的方向走。

他们走了一阵儿，小猪紧张地问："瑞……瑞比，我们到哪儿了，你知道吗？"瑞比回答道："当然知道啦。这片林子我太熟(shú)悉(xī)了！"

瑞比说完就先去探路，维尼和小猪等啊，等啊，等了很长时间，还是不见瑞比回来。他们决定自己试试，走了一阵子，周围的景色开始变得熟悉了。突然，跳跳虎冷不丁蹦了出来。"你们在这儿啊！"他说，"你们迷路了？"

"我们没有迷路，"维尼说，"不过，瑞比恐怕是迷路了。"

跳跳虎说："别担心，跳跳虎找人最拿手了！"说完，跳跳虎又蹦着往树林里去了。

与此同时，瑞比已经完全失去方向了。突然，他觉得有根树枝打在了他的脸上。他尖叫着，拔(bá)腿就跑。跳跳虎高兴地说："我终于找到你啦，瑞比。"

"跳……跳跳虎？"瑞比有些迷(mí)糊(hu)地说，"我还以为你迷路了呢。"

"我会迷路？"跳跳虎说，"跳跳虎从来没迷过路！抓住我的尾巴，我马上就能带你回家……"

跳跳虎爱蹦的习惯虽然偶尔会让他闯祸，但这毕竟是他独一无二的特点，而且关键时刻还总能派上用场，所以还是宽容他一下吧。宽容会使生活少很多苦恼。

一个人的力量是有限的，但把大家的力量聚集起来，就能发挥巨大的作用。

团队力量大

这天，百亩林的伙伴们正在玩"抓人"游戏。小熊维尼跑得慢，总是输，最后他干脆(cuì)一屁股坐在地上喊道："我再也跑不动了，而且也该吃午饭了。"罗宾只好说："那等我一下，我去拿外衣。"

可当罗宾来到挂外衣的灌木丛边时却发现外衣不见了，他非常着急。大家一齐安慰(wèi)罗宾说："我们帮你找！"罗宾感激地说："谢谢大家。"

伙伴们马上行动起来。跳跳虎把小豆举过头顶，蹦蹦跳跳地在林子中的树杈(chà)之间来回寻找；维尼忙着查看百亩林里的每一个蜂蜜罐，而小猪要做的就是使劲拉住他，以防他掉进罐子里；屹耳正帮着瑞比钻一个很小的洞，好不容易钻进去，瑞比在洞里失望地说："唉，不在这里。"屹耳只好使出全身力气再把他拽(zhuài)出来。

大家找啊找啊，还是没找到外衣，只好重新回到灌木丛前。就在这时，小猪在地上发现了一个蓝色弹球。瑞比煞(shà)有介事地说："这可能是一个线索噢。""对，瑞比，"罗宾激动地说，"这个弹球本来是放在我的外衣兜里的！"

接着，猫头鹰又发现了一块儿原本放在那件外衣口袋里的手绢。朋友们循着这些线索去找，又找到了从外衣口袋里掉出的风筝线、四块柠(níng)檬(méng)糖以及另外三个弹球。

瑞比说："这些线索一定能带着我们找到外衣。"小豆突然喊道："它们正领着我们朝我家走呢！"大家连忙径直走到小豆家门前，一进门就看见袋鼠妈妈腿上放着一件蓝外衣。袋鼠妈妈对罗宾说："孩子，我看见你把衣服放在了灌木丛上，就拿来帮你缝(féng)补(bǔ)一下。"

小豆高兴地叫着："我们找到了！找到了！""我们当然找得到！"罗宾笑道，"只要齐心合力，就没有什么办不到的事！"

小朋友，你们听过"人心齐，泰山移"这句话吗？它告诉我们的就是故事中讲述的道理——许多事情，需要大家一起动手，只要齐心合力，就能又快又好地完成！

俗话说眼见为实！面对一些难辨是非的说法，最好的方法就是亲自去验证！

友好的长鼻怪

一个阳光明(míng)媚(mèi)的早上，小豆被远处传来的一阵奇怪的声音吵醒了。他疑(yí)惑(huò)地说："咦，那是什么声音？"

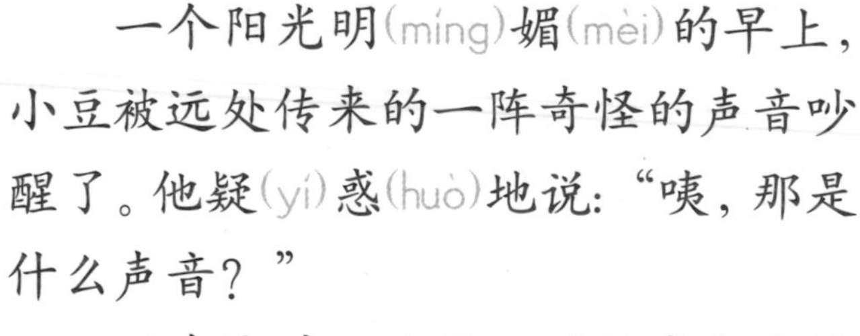

正在这时，维尼、跳跳虎和小猪慌里慌张地从小豆家跑过去。小豆探出头去朝他们大喊道："喂，你们要去哪儿？""去……去瑞比家！百亩林里出现了奇怪的声音！你没听到吗？"小猪结结巴巴地回答说。

小豆也跟了过去。伙伴们惊慌地跑着，只有小豆一路四处张望着。

突然，小豆发现了一个大大的脚印，他们更恐(kǒng)慌(huāng)了。见到瑞比，大家一致认为：百亩林里出现了可怕的长鼻怪。他们决定留下小豆，其他人一起去找长鼻怪。瑞比对小豆说："你还太小，去了会很危险的！"

可是小豆不服气，他独自一人出发了。他要向大家证明自己已经长大了。

勇(yǒng)敢(gǎn)的小豆来到了森林深处，在这里，他发现了很多相同的脚印。他顺着这些脚(jiǎo)印(yìn)来到一头友好的小象面前，小象的名字叫胖胖。

小豆发现其实胖胖就是长鼻怪，可他一点儿都不危险。“走，我带你去见我的朋友们吧！”小豆领着胖胖高高兴兴地回去了。

他们回去后发现朋友们还没回来呢！可是胖胖饿了，在维尼家，他们美美地吃了一顿蜂蜜点心，然后出发去找其他人。

朋友们回来后，维尼发现自己家里乱七八糟的。跳跳虎担心地说：“看来长鼻怪来过了，他真是又脏又可怕！”

与此同时，小豆遇到了麻烦！他不小心从陡坡(pō)上滚了下去，掉进一个深洞里，情况十分危险。胖胖见情况不妙，立刻竖起象鼻大叫着发出求救信号。

胖胖的叫声引起了大象妈妈的注意，她急匆匆地赶过来，救出了小豆。大伙儿得知小豆安(ān)然(rán)无(wú)恙(yàng)，长鼻怪也并不可怕时，一个个高兴得跳了起来！

当所有人都觉得长鼻怪很危险时，小豆没有轻信大家的猜测，而是亲自去探寻事实的真相。小朋友们一定要牢记：遇到问题时不要轻易地下结论，而要学会用自己的眼睛去观察，亲自去验证！

对于物质享受一定要有节制，不然的话其结果就不是“享受”而是“受罪”了。

小·熊维尼受困记

小熊维尼肚子饿了，想吃蜂蜜。于是，他出发去拜(bài)访(fǎng)好朋友瑞比，因为瑞比家总是有蜂蜜。

“进来吧，维尼，”瑞比说，“你来得正是时候，恰好赶上吃午饭。”维尼就等着瑞比这么说呢，他赶快大步迈进了门，然后坐下大吃起来……

维尼终于吃饱了，他拍拍圆(yuán)滚(gǔn)滚(gǔn)的肚子说：“我得走了，谢谢。”说完他就朝门外走去，可在门口他不得不停下来。因为，他的又大又圆的肚子被门卡住了，他虽然头出了门，脚却还在门里。

瑞比使劲推了推维尼，维尼仍然卡着不动。他只得从后门跑出去找罗宾帮忙。

罗宾终于来了，他们使足了力气往外拉维尼，可维尼还是出不来。

罗宾对维尼说：“现在只好等你瘦(shòu)下来，瘦到能从瑞比家的门口走出来才行。”

屹耳路过瑞比家门口，看到了这种情景叹了口气说：“维尼，你恐怕要等上好几天，甚至好几个星期、好几个月呢！”

可维尼很快就等得不(bù)耐(nài)烦(fán)了，他的肚子一天比一天饿！

一天晚上，谷佛从瑞比家门口的地洞里钻了出来，手里拿着餐盒准备吃夜(yè)宵(xiāo)，维尼馋得直流口水。

瑞比在屋里听到动静，立刻从后门跑出来。此时，谷佛正要请维尼和他一起吃蜂蜜呢。

“住手！一滴也别给他！”瑞比

大喊。事后，他又动手做了块写着“禁止喂熊！”的牌子插在了门口。

直到有一天，瑞比发现维尼竟然动了一点点。他立刻找来大伙儿帮忙。瑞比站在屋里面推(tuī)维尼，其他人一起用力往外拉。只听“嗖”的一声，维尼飞了出去，一头撞(zhuàng)进了一棵空心大树里。那可是棵蜂蜜树啊！

罗宾朝维尼喊道：“别着急，维尼，我们马上救你出来。”

维尼才不着急呢，因为他眼前上上下下都是蜂蜜。他喊道：“不用急，慢慢来吧！”

贪吃的维尼，不但自己受罪，还给别人带来了麻烦。小朋友，你平时也有贪(tān)吃(chī)的毛病吗？如果有，就赶快改过来吧。喜欢吃的东西也要吃得适量，不然也会像维尼一样遇到麻烦的！

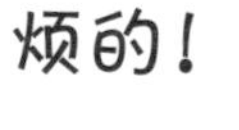

“众人划桨开大船”，可是如果大家劲儿不往一处使，不朝一个方向划，船能开动吗？

临时乐队

一个安静的夏天的早上，小熊维尼忽然想起了他的小鼓(gǔ)。他想：“在这个早晨，鼓声一定能让死气沉沉的百亩林热闹起来。”于是，维尼开始“咚咚咚”地敲起鼓来。

在百亩林的另一头，跳跳虎听到了鼓声。他兴致勃勃地说：“哈哈，是谁在打鼓呀？我也已经好久没弹(tán)吉(jí)他(tā)了！”

于是，跳跳虎抱着吉他，摇头晃脑地弹起来。可是，他弹的曲子和维尼打鼓的节奏完全不合拍。

树林那边瑞比听到了鼓声和吉他声，也决定加入进来，用他的喇(lǎ)叭(ba)声盖过别人制造的“噪音”。

不过，瑞比用喇叭吹奏的又是另一个曲(qǔ)调(diào)。维尼和跳跳虎听见喇叭声后，反而把各自的乐器弄得更大声了。

不一会儿，百亩林里几乎所有的人都开始弹奏乐器，每个人又都想用自己的乐器声来盖过别人的声音。

大家不约而同地往百亩林中央的小山上走去。各种各样的乐器声混在一起，百亩林顿时成了一个喧(xuān)闹(nào)的世界。

袋鼠妈妈正在家里烤蛋糕，外面嘈(cáo)杂(zá)的声音让她忍无可忍。“太吵了！我得想想办法。”她皱(zhòu)着眉头说。

袋鼠妈妈来到小山上，此刻大家仍在卖力地比声音。她大喊道："快停下！"

袋鼠妈妈建议说："孩子们，要是每个人同时演奏不同的乐曲，美妙的乐器声就会变成让人心烦的噪(zào)音(yīn)。大家为什么不一起来演奏同一首乐曲呢？"说完她轻轻地打起了拍子。

伙伴们一个个地加入进来，大家完美地相互配合，演奏出了美妙的乐曲。这支临时乐队一边演奏，一边慢慢地朝袋鼠妈妈家走去，袋鼠妈妈开心地笑道："嗯，这些乐手表现不错，值得奖励蛋糕！"

一把吉他、一面小鼓都能演奏出一首优美动听的曲子，但是把几首不同曲调的曲子混在一起，再动听的音乐也只会变成噪音。小朋友做任何事情，都不能只想着自己，而要更多地考虑怎样和大家相互配合、相互协调，只有这样，才能得到最完美的结局。

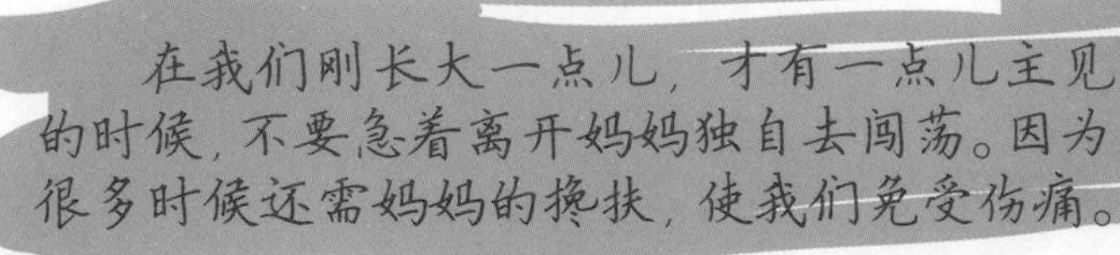

小·豆旅行记

小豆每天都待在袋鼠妈妈温暖的肚袋里，他觉得有些无聊(liáo)，而且觉得自己已经长大了，可以独自到外面看一看了。

小豆正盘算着，瑞比追着一个东西跑过来。小豆问：“你追的什么呀？”“枫树的种子！”瑞比一把抓住了那颗种子拿给小豆看。

小豆问：“种子不是种在地里吗？”

瑞比说：“但是种子要先做一次旅(lǚ)行(xíng)才能落到地上。”瑞比边说边拿出一棵蒲(pú)公英，“小豆，你使劲儿吹它！”小豆一吹，小种子们立刻飞散开来。

瑞比又拿出一个大椰(yē)子：“看，这也是种子。不过它是在水上漂行的。”

“我还有一粒种子是靠别人带它旅行！”说着，瑞比取出一粒欧龙牙草籽放在一些橡(xiàng)树籽旁边。很快，草籽就沾(zhān)到了过来吃橡树籽

的松鼠身上，被带走了。

小豆从种子这里获得启发，他准备请朋友们帮忙，让他也能像种子一样旅行。

他先找维尼借来气球，准备像蒲公英种子一样飞走，可没飞多远气球

就被蜜蜂刺(cì)破了。小豆失望地说："可能飞行不适合我！"

小豆又去找小猪，这次他想模(mó)仿(fǎng)椰子漂流，他需要小猪的大伞来当船。可他一兴奋把伞弄翻了，掉进了水里，他叹道："也许漂流也不适合我！"

小豆又来到屹耳家，趁他不注意的时候悄悄趴到他身上，心里盘算着要像一粒草籽一样沾在屹耳的身上去旅行。可那样太累了，他很快就坚持不住了。

这下小豆开始想念妈妈那温暖舒适的肚袋了。于是，他很快回到了妈妈身边，在妈妈的肚袋里，香香地睡着了。他不是蒲公英的种子，不是椰子，也不是草籽，他是袋鼠小豆！在妈妈的肚袋里，他就可以看到外面的世界，也有足够的空间成长！

小朋友，你们是不是也像小豆一样，觉得自己已经长大了，可以离开妈妈到外面去转转？其实，你们就像含(hán)苞(bāo)待(dài)放(fàng)的花朵，还没到成为种子的时候。等到你们长大了，成熟了，自然就像蒲公英的种子一样离开妈妈自己去旅行了！

不是每个人都十全十美，但只要善于发现自己的优点，就能永远乐观自信。

小个子挺好

一个飘(piāo)着雪花的下午，小猪急匆匆地去找维尼。他跑得上气不接下气，心想："要是我的腿再长一点儿就好了。"

维尼见到小猪后连忙问："你是跑着来的吗？"小猪喘着气点点头。

维尼赶快去拿饮料，他随口对小猪说："小猪，帮我把茶杯拿出来好吗？"

小猪打开柜门，可没看到里面的茶杯。他又往后退了几步，仰(yǎng)头朝上看，终于看见啦！可它们比小猪要高很多，小猪只好使劲跳起来去够茶杯。可他不但没拿到，自己还摔了一跤(jiāo)。

"都怪我个子太小，跑也跑不快，连茶杯都够不着！"小猪愁眉苦脸地说。

维尼把他扶起来，安慰道："蜜蜂的个子比你小多了，可他们干的事情却很重要，他们能酿(niàng)造(zào)我最爱吃的蜂蜜。"小猪想："那倒是……可我不是蜜蜂啊，我还是没什么用！"

小猪伤心地走了。突然，一阵风把他头上的帽子吹跑了，一直吹进树林里。接着，只见跳跳虎从树林里冲了出来，手里拿着小猪的帽子。"这是你的吗，小猪？""是我的，谢谢你！"小猪戴上帽子说。

跳跳虎停下来看了看雪花："哇！真漂亮！就像星星。"小猪也看着飞舞的雪花，自言自语道："雪花也很小，可它们多漂亮啊！"

小猪心想："蜜蜂很小，雪花也很小，也许小个儿也没什么不好……"

他一蹦一跳地继续往前走，看到屹耳又在找尾巴，其实尾巴就在灌(guàn)木丛下面。可屹耳个子太大，根本进不去。这可难不倒小猪，他钻进去，一下子就拿到了尾巴，帮屹耳安上了。这下屹耳可高兴了，他说："谢谢你，小猪！要是我像你这么小该多好啊！"

小猪和屹耳挥手告别，脸上露出心满意足的微(wēi)笑(xiào)，因为他终于想清楚了："其实，小个子也挺(tǐng)好！"

小朋友，你们是不是也总为自己不够高大或者力气太小之类的事苦恼呢？其实，小有小的好处，要像小猪一样多去发掘(jué)一些"短处"的优点，这样你就会变得更自信了！

黑暗并不可怕，用乐观的心态去面对，你将获得非凡的勇气。

小熊维尼的美梦

一天晚上，小熊维尼像往常一样爬上床，钻进被窝准备睡觉。“今晚我会梦(mèng)见什么呢？希望是蜂蜜哦！”他边盖(gài)被子边傻笑着说。

可是维尼一点儿也不困。他辗转反侧，心里嘀咕着：“噢，天啊！我仍然清醒得很呢！这叫我怎么睡得着呢？”

“去看图画书吧，看一会儿我就困(kùn)了，很快就能睡着了。”维尼心想。于是，他从书(shū)架(jià)上抽出一本图画书，倚在床上兴致勃勃地看起来。书里的图画特别有趣，维尼看得

哈哈大笑。这下他反而越来越清醒了！他只好放下图画书再想别的办法。

他扭头看了看床边上点(diǎn)燃(rán)的蜡烛，心想：“可能是屋子里的光(guāng)线(xiàn)太亮了，所以我才梦不到蜂蜜！”

维尼吹灭了蜡烛，又躺进了被窝里。“哎呀，屋子又太黑了！我还真有点儿害怕呢！”他瞪着眼睛小声说。

维尼不知不觉地用被子将自己裹得严(yán)严(yan)实(shí)实(shi)的，只从里面探出个小脑袋。看到屋子四周到处都是黑影，他害怕地说：“现在我记起来为什么要点蜡烛了，因为黑夜让我睡不着！”

这时，维尼注意到有一道蓝色的光从窗帘的缝隙中照(zhào)射(shè)进来。他感到很奇怪，心想：“那是什么？”

维尼从床上爬起来拉开窗帘，看见夜空中缀(zhuì)满(mǎn)了闪闪发光的星星，不禁感叹道：“太漂亮了！夜色真美啊！”

这时，维尼重新回到了床上，打了个哈欠说：“现在我能看着这么多星星，睡不着也没关系了！如果把星星连在一起，还可以组成各式各样的图形呢！”

想着想着，维尼就睡着了。他梦见了很多很多长着脚的会跳舞的蜂蜜罐，里面还装满了甜甜的蜂蜜！“真好吃，真好吃！”维尼打着鼾(hān)，说着梦话，睡得可香呢。

小朋友，你晚上一个人睡觉时，是不是也会像维尼一样怕黑呢？如果怕黑，就把窗帘拉开，和星星、月亮说说悄悄话吧。这样你就不会害怕了，说不定还能做个好梦呢！

做成一件事往往不会是一帆风顺的，遇到困难和挫折是常有的事，要积极想办法应对，要学会随机应变地解决问题。

小猪蜂王

一天，小熊维尼发现一棵树上挂着一个大蜂窝。他爬上树去想弄点儿蜂蜜吃。“喂，有人在吗？”他问道。里面似乎没什么动静！

这下维尼放(fàng)心(xīn)地将手伸(shēn)向了蜂窝。就在这时，一大群蜜蜂怒气冲冲地飞了出来，一起冲向维尼。“为什么我去拜访蜜蜂时，它们总是在家呢？”维尼一边跑，一边不(bù)解(jiě)地大叫。

维尼躲到一块大石头后面，终于甩(shuǎi)开(kāi)了蜜蜂，他累得坐在地上直喘粗气。小猪看到了刚才发生的一切，他向维尼解释说：“一些蜜蜂必须待在家里照(zhào)顾(gù)蜂王，所以蜂窝里总会有蜜蜂在值(zhí)勤(qín)。”

维尼想了想说：“那我只要想办法让蜂王出去就行了呗！”

“可蜂王是从来不出去的！”小猪说。“有时也会例外嘛！就像我这样的大块头儿，却有你这么一位娇小的朋友一样！”维尼笑着回答。

你知道维尼想出了什么办法吗？他给小猪穿上了一身“蜂王服”！“这下那些蜜蜂会以为你是蜂王，肯定跟着你跑了！”维尼手舞足蹈地说。

不一会儿，蜜蜂果真都从蜂窝里

飞出来，围着小猪“嗡嗡”地叫。“你要我把它们带到哪儿去呢？”小猪

问。“随便哪儿都可以！只要让它们离蜂蜜远远的就行！”维尼说。

“现在所有的蜜蜂都不在家，我很容易就能装满一罐蜂蜜了！”维尼笑着把手伸进蜂窝使(shǐ)劲(jìn)往外掏蜂蜜。

维尼正抱着满满一罐蜂蜜往家走，路上碰到了小猪。他发现没有蜜蜂跟过来，好奇地问：“你的‘蜂王服’哪儿去了？”

小猪回答说：“我四处走累了，就把‘蜂王服’留(liú)在你家里了！”维尼迅速赶回家，从窗口往屋里望去，发现他的屋子里到处都是蜜蜂！“这下我怎么才能让这些蜜蜂出去呢？”维尼大叫道。

可怜的维尼不得不把他的蜂蜜罐涂成另(lìng)外(wài)一只蜂王的样子，放在屋外吸引蜜蜂。他叹了口气说：“在真正的蜂王把蜜蜂叫回家之前，我只能任凭肚子咕噜噜地叫了！”

维尼的经历，真可谓是“一波三折”！现实生活中，很多事情就是这样，小朋友你可不要被困难和挫折挡住前进的脚步哟！

"诚实"是一个好孩子首先应该具备的品质，撒谎的孩子是不会受到别人的欢迎的。

小鸟没有吃蛋糕

一天上午，维尼在家清(qīng)理(lǐ)柜子，冷(lěng)不(bu)丁(dīng)发现了那部找了很久的照相机。维尼喜(xǐ)出(chū)望(wàng)外(wài)。"啊！可爱的日子找到可爱的宝物，太棒了！"他赶紧跑出去把百亩林里的朋友都请来。大家摆出各种有趣的姿(zī)势(shì)，拍呀、拍呀，玩得可高兴了。

拍了好一会儿，小豆邀请朋友们去他家玩。袋鼠妈妈正忙着烤蛋糕呢，一看到小家伙们的馋样儿，连忙叮嘱道："谁都不许碰哦！蛋糕留着喝下午茶时再吃！"

于是小朋友们耐心地等着蛋糕凉下来，这时袋鼠妈妈给大家带来了惊喜。她一边打开一只箱子，一边说："或许你们照相时会用上这些东西。"哇，竟然是满满一箱子化(huà)装(zhuāng)服！

整个下午，朋友们都穿着袋鼠妈妈找来的衣服，装扮成各种好玩的样子拍照。维尼成了小摄影师，忙得好

开心。小猪笑着说：“我太想看照片了。”维尼说：“我也是。”他边说边按下快门，“啪”的一声又拍了一张。

终于到了该痛痛快快地吃蛋糕的时候了。这时袋鼠妈妈叫起来：“噢，天哪！少了一块蛋糕！”跳跳虎忙说：“会不会是蛋糕放在窗台上晾凉的时候，小鸟飞来吃了呢？”

袋鼠妈妈点了点头，同(tóng)意(yì)跳跳虎的说法。她接着说：“还好，我多做了一些。”说完又端上来一大盘新(xīn)鲜(xiān)美味的蛋糕。

第二天，朋友们来到维尼家看洗好的照片，没想到却发现了一个惊天大秘(mì)密(mì)！维尼大声嚷嚷起来了：“跳跳虎，是你，是你偷吃了蛋糕！”

跳跳虎还抵赖呢：“不是我！嘻嘻！”小猪指着照片说：“不对吧，老朋友，我想照相机是不会撒谎的。”真的，有两张照片不经意拍到了嘴里塞得鼓鼓的跳跳虎，是他偷吃了蛋糕！跳跳虎见事情败露，不(bù)好(hǎo)意(yì)思(si)地低下了头。

诚实是一个好孩子应该具备的最优(yōu)秀(xiù)的品质，承认自己做了错事并不会使朋友看不起你，只要改正了错误，朋友们反而会更信赖你。小朋友，想想看，你是一个诚实的乖孩子吗？

与他人合作步骤要有条不紊，沉着有序；二人更要齐心协力，步调一致，否则往往会出乱子。

跳跳虎浇花——瑞比倒霉

一天，瑞比在自己的花园里准备浇(jiāo)花(huā)，跳跳虎蹦蹦跳跳地过来了。“你好，瑞比！”跳跳虎高兴地说，“你是要浇花吗？让我来帮忙吧！”

瑞比可是最了(liǎo)解(jiě)跳跳虎的，他总是爱帮(bāng)倒(dào)忙(máng)，但是看在他如此热心的份儿上，瑞比还是同意了，“那好吧，你就来扶住这根水管，我去厨房把它安到水龙头上。”听完，跳跳虎一把接过软管，瑞比则拿着另一头走进了厨房。

瑞比把水管接到水(shuǐ)龙(lóng)头(tóu)上，大声喊道：“喂，准备好了吗？我要打开水龙头了——”可话音未落，他就又“啊”的一声大叫起来，只见一股水流朝他猛喷(pēn)过来。瑞比从头到脚全湿(shī)透了，简直像只落汤鸡——啊，不，“落汤兔”！可真够惨的！不用说，准又是跳跳虎那边出了什么问题！

只见跳跳虎此时正手拿水管站在瑞比身后，捂(wǔ)着嘴“嘿嘿”笑呢！瑞比见到跳跳虎手里还在喷水的水管，

马上明白了自己挨浇的原因，气得大吼(hǒu)起来：“你应该在外面等着，冒

失鬼！我是让你浇花，不是浇我！”跳跳虎不好意思地说：“对不起，瑞比！我只是想来看看你接好了没有，谁知——”

瑞比关上水龙头，从跳跳虎手里夺(duó)下水管，说：“还是我自己浇吧！记住，等我回到花园里，你再开水龙头！”

于是，瑞比拿着水管来到花园，对准花草准备浇水。可半天也没有水流出来。“咦？怎么没有水呢？”他自言自语地嘟囔着。

正当瑞比仔细地打量着水管的喷嘴时，突然“哗”的一声水花四溅，水对着瑞比的脸直喷了过来。跳跳虎看到这一幕(mù)，忍不住喊道：“糟糕！”……

恰好，天开始下雨了。“谢天谢地！”瑞比长出一口气，“现在就让雨来浇花吧，省得我又挨浇！你这个跳跳虎！”

哈哈，跳跳虎又冒冒实实地帮了倒忙！小朋友，你是不是像他一样做事不听指令，丢三落四呢？如果是，这个习惯可不好哦，还是赶快改掉吧！

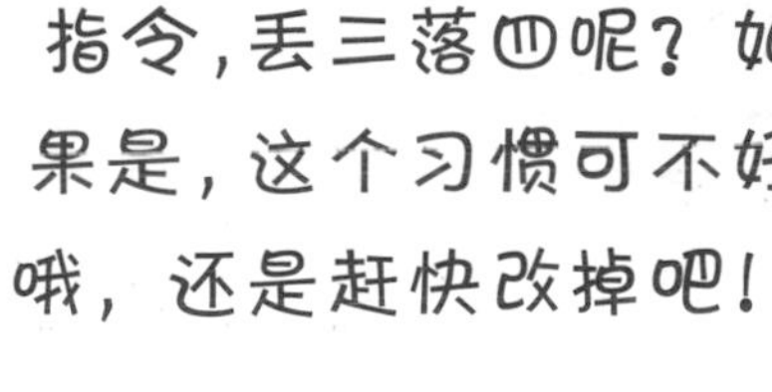

做错事并不可怕，可怕的是逃避责任的行为，诚恳地认识错误并积极地去弥补，就一定会得到谅解！

对不起，我们打碎了花瓶

一天，袋鼠妈妈去猫头鹰家做(zuò)客(kè)，家里只剩下跳跳虎和小豆。他们玩了好半天，小豆说："我渴(kě)了！"于是他俩一起跳着来到厨房找水喝。

可是，天哪，看看出了什么事！小豆猛地跳到桌子上，把花瓶打翻了。小豆神情紧张地说："噢，不，花瓶碎(suì)了！"

"妈妈会发(fā)火(huǒ)的！"小豆担心地说。跳跳虎胸有成竹地安慰小

豆："这事就交给我吧，我一会儿就能把花瓶粘好……嗯，我们得先找一些面粉来。"

看到小豆疑惑不解的样子，跳跳虎解释说："我看过猫头鹰用水和面粉做糨糊来着。"于是，两个小家伙找

来一只碗，把面粉和水放在碗里一起搅拌。

小豆叹了口气说："唉，我们把厨房弄得乱(luàn)糟(zāo)糟(zāo)的。"跳跳虎安慰他说："没关系，我们一会儿就能收(shōu)拾(shi)干净。现在我就用糨糊粘花瓶，你帮我扶着点儿。"

可是糨糊不够黏。小豆提议说："我们用胶带缠缠看吧。"他从抽屉里找来胶带，吩咐跳跳虎："你捧着花瓶，我来缠(chán)胶带。"

小豆给花瓶缠了一圈又一圈的胶带。突然，跳跳虎大声嚷嚷起来："喂，你缠住我的手了！""糟糕！"小豆急忙把缠好的胶带又一圈一圈地撕(sī)下来，要不然跳跳虎的手就只能一直举

着花瓶了。

这时袋鼠妈妈回来了，惊奇地问："你们在干什么？"小豆把修(xiū)花瓶的经过告诉了她，最后说："妈

妈，对不起，我们打碎了花瓶。"

"花瓶早就裂口了！"袋鼠妈妈笑着说，"我正打算把它扔掉呢！"跳跳虎低声道："原来我们白忙活了！"袋鼠妈妈安慰他们说："瞧你们两个小家伙，没关系的。只要你们诚实，即使花瓶是你们打碎的，我也不会生气的。你们是敢于承担责任的好孩子！好了，现在我们到客厅去吃茶点吧！"

小朋友，袋鼠妈妈的话你们听明白了吗？即使做错了事，只要勇于承担责任，不说谎话，你们仍然是好孩子！

由于冒失的行为对他人造成的伤害，虽然不是故意犯错，但也要勇于承担责任，并尽力去弥补错误。

追照片

一天，小猪和维尼正在帮猫头鹰往相册上贴(tiē)照片。跳跳虎突然闯了进来。这个跳跳虎可真够冒失的！瞧，一阵风也跟(gēn)着(zhe)他进来了，把照片吹(chuī)得四处乱飞！

“哎呀——照片被风吹到窗外去了！”猫头鹰着急地大喊起来。小猪伸出手去抓照片，可他不但没抓(zhuā)着，还差一点儿也被大风吹跑了！

猫头鹰大声嚷道：“快，我们必须把照片找回来！”于是，大家连忙去追照片。

维尼和小猪同时跳起来抓照片，不小心撞到了一起！“哎哟！好疼！”他们不(bù)约(yuē)而(ér)同(tóng)地叫起来。还好，小猪抓到了照片。

再看跳跳虎，这可是他大显身手的好机会！他高高跃起，也抓到一张。“够着了！够着了！”他兴奋地嚷个不停，落地时却不小

心踩(cǎi)在了猫头鹰的脚上！猫头鹰揉着脚，疼得直喊"哎哟"。

还有一张照片落在了正打(dǎ)盹(dǔn)儿的屹耳的鼻子上。可怜的

屹耳！他从睡梦中惊醒，迷迷糊糊地问道："出了什么事？""对不起，老伙计！"跳跳虎来不及解释，抓起照片又蹦蹦跳跳地去追其他的了。

瑞比看到朋友们从他的胡萝卜地里匆匆忙忙地跑过，感到很惊讶。他问道："你们干吗呢？"维尼回答："我们在追猫头鹰的照片呢！"

最后，猫头鹰的照片全被追了回来。可猫头鹰数(shǔ)了数，还差一张。他叹了口气说："那是我最喜欢的叔叔的照片。不过没关系，我们总算把别的都找回来了！"

大家回到树屋，把这些失而复得的照片贴在相册里，免得它们又被风吹走。"丢了那张相片，真叫我伤心！"猫头鹰还在唉声叹气呢。可他一翻开相册，你猜怎样？那张"丢失"的照片正好(hǎo)端(duān)端(duān)地躺在相册里呢……

跳跳虎虽然不是故意让风吹走猫头鹰的照片，但看到他连忙在大风中奋力追照片，谁能不原谅他呢？生活中，每个人都会做错事，做了错事没关系，只要我们敢于承认并努力去弥补就行了。

对待比赛，一定要认真努力，结果并不重要，从中得到锻炼，收获进步才是关键。

谁跳得最远

一天，小熊维尼和他的朋友们正在举行一个聚(jù)会(huì)。维尼提议说："咱们到外面去做游戏吧！"大家都兴奋地举(jǔ)手(shǒu)表示赞同。

维尼和朋友们高高兴兴地来到户外。瑞比建议说："咱们比赛看谁跳得最远，怎么样？"你们知道他为什么提这个建议吗？就因为他自己是跳(tiào)跃(yuè)高手！

大家都排好队准(zhǔn)备(bèi)跳远。屹耳却独自一人站在一边，叹了口气说："这种游戏一点儿也不适合我。我知道我肯定赢不了！"

"那你就帮我们举气球吧！"维尼边说边把自己的气球系在屹耳身上，然后，使劲儿往前跳了出去。

尽管维尼使出了浑身的力气，可还是没跳多远。他不好意思地说："看来我跳远比吃东西差远了！"

跳跳虎大声说："老虎跳远可是很棒(bàng)的哦！"说完，他也把气球系在屹耳身上，使劲往前跳了一大

步。他的确跳得又高又远！

现在轮到瑞比了。他先把气球在屹耳身上系好，然后又做了充分的准备活动。他对伙伴们说："好啦，现在

是跳远专(zhuān)家(jiā)的表演时间啦！"

接着他就"嗖"的一声跳了出去，刚好落在维尼和跳跳虎的前面。跳跳虎惊讶地感叹："这到底是一只鸟还是一个会飞的瑞比呀？"

瑞比刚一站稳，就迫不及待地表(biǎo)扬(yáng)起自己来，他得意地说："看，没有人能打败我！"

突然，维尼指着屹耳叫起来："也许屹耳可以超过你！快看！"原来，维尼和朋友们系在屹耳身上的气球太多了，结果气球飞起来把他带到了半空中。屹耳轻(qīng)飘(piāo)飘(piāo)地向前飞去，落地时果然超(chāo)过(guò)了瑞比！

跳跳虎欢呼起来："怎么样，瑞比，没想到吧？屹耳才是最棒的跳远运动员！"屹耳耸了耸肩，笑呵呵地说："真没想到，我一直都认为自己会输的！"

小朋友们在生活中都会参加许许多多的比赛，有比赛就会有输赢。其实无论是输还是赢都没有太大关系，大家都为目(mù)标(biāo)努力了，而且在一起玩得很开心，这才是最重要的。

家务活不是爸爸、妈妈的"专利"，小朋友也应该尽自己的能力来帮忙，做一个勤快的好孩子！

特别工具

一天，袋鼠妈妈打算把她的卧(wò)室(shì)涂成蓝色。于是，她拿来一桶蓝色的涂料还有几把刷墙用的小颜料刷，然后又用防尘布把所有家(jiā)具(jù)都盖了起来。一切准备就绪后，她就系好围裙准备开工。见小豆在自己身边直打转，袋鼠妈妈对他说："小豆，你也可以过来帮忙。"说完就递给小豆一把小颜(yán)料(liào)刷(shuā)，小豆赶忙高兴地接了过来。

他们从墙的底(dǐ)部(bù)开始刷起，好半天才刷了一小块儿。正在这时，屹耳从窗口探进头来，看袋鼠妈妈和小豆正在干什么。

"我本不想打扰你们，"屹耳说，"但我想知道，你们只用这些小刷子怎样才能刷到上面的墙(qiáng)壁(bì)呢？"说完，三个人都不(bù)约(yuē)而(ér)同(tóng)地抬起头望着高高的墙壁。

"这没问题！"小豆胸(xiōng)有(yǒu)成(chéng)竹(zhú)地回答。接着，他使劲儿往上一蹿，手中的颜料刷刚好能刷到最上面的墙壁，可是每次刷子只能在墙上停留一丁点儿时间，当然也就刷不了多

大面积。

而且，这样上蹿下跳的实在太累了，瘦弱的小豆可没法儿一直这么跳下去。不一会儿，他就上气不接下气了！袋鼠妈妈心疼地赶紧让小豆停(tíng)了下来。看看自己手里小小的颜料刷，袋鼠妈妈也产生了和屹耳一样的疑问。

正当大家一筹莫展的时候，屹耳突然想出了一个办(bàn)法(fǎ)。"就用这个吧！"说着，他从窗口把自己又长又粗的尾巴递了进来。

袋鼠妈妈有点儿迟疑，可是，一时也找不出什么更好的办法，于是，袋鼠妈妈决定用这个办法试试看。令她没想到的是，这个办法果真不错！袋鼠妈妈很快就把卧室刷完了。小豆兴奋地跳到屹耳的脖(bó)子(zi)上，拽着它的两只长耳朵手(shǒu)舞(wǔ)足(zú)蹈(dǎo)。袋鼠妈妈也笑着说："现在我终于知道用什么来刷房间里别的地方了！"

小朋友，你有没有帮助爸爸、妈妈做过家务呢？记得要学着做一个勤劳的孩子！另外，劳动时要注意开动你的小脑袋瓜。比比看，谁是最聪明、最爱劳动的乖孩子！

我们的身边总有爱捣乱、淘气的小朋友，跟他们相处要动脑筋巧妙处理，这样才能既不伤和气，又能解决问题。

跳跳虎砸雪人

一个大雪天，维尼和小猪兴(xìng)致(zhì)勃(bó)勃(bó)地在雪地里堆雪人。瞧，他们堆的大雪人多精神啊！小猪抹抹鼻子"咯咯"地笑着说："好啦，马上就完工了！"

正说着，突然从远处飞来一个脏(zāng)兮兮的大雪球，"啪"的一声把雪人的脑袋给打掉了。接着就传来了跳跳虎的欢呼声："太好啦！打中了，打中了！"

维尼和小猪气坏了。维尼生气地质问道："跳跳虎，你看，你把我们的雪人砸(zá)坏了！"可跳跳虎不但不道歉，反而笑嘻嘻地说："大家堆雪人就是为了给人砸的嘛！就算不被砸坏，它们早晚也会融(róng)化(huà)掉的！"

维尼听他这么一说，赶紧抬头四处张望了一下，发现到处都有被人破坏过的雪人。看来跳跳虎是准备把百亩林里所有的雪人都“打倒”呢。

维尼决定想个办法治治跳跳虎。他悄悄地对小猪说：“咱们来堆一个特别的雪人吧，看跳跳虎还能不能把它砸倒！”于是，两个好朋友来到维尼家，找出了一大一小两个蜂蜜罐。

他们回到雪地里，分别在两个蜂蜜罐里塞满了雪，然后把小蜂蜜罐摞(luò)在大蜂蜜罐的上面，外面再用雪裹(guǒ)起来，堆成一个雪人的模样。

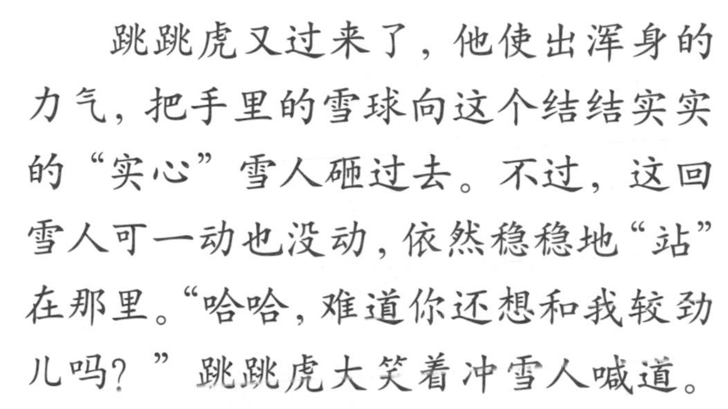

跳跳虎又过来了，他使出浑身的力气，把手里的雪球向这个结结实实的“实心”雪人砸过去。不过，这回雪人可一动也没动，依然稳稳地“站”在那里。“哈哈，难道你还想和我较劲儿吗？”跳跳虎大笑着冲雪人喊道。

看着跳跳虎在一旁卖力地砸雪人，小猪笑着对维尼说：“这下跳跳虎得忙一阵了！”“没错。现在大家总算可以安安静静地堆雪人了！”维尼开心地说。

小朋友可千万别学跳跳虎变成人见人烦的“捣(dǎo)蛋(dàn)鬼(guǐ)”。如果你的伙伴当中也有跳跳虎这样的，你可以学学小熊维尼，动脑筋想个两全齐美的办法。这才是比较聪明的做法哟！

对一些所谓的“难事”抱怨是没用的，换一种心态，换一种方式，“麻烦事”也可以变得充满乐趣。

快乐的劳动

一天，维尼经过瑞比的菜园，看见他正在地里“吭哧吭哧”地拔(bá)草。“啊唷！啊唷！拔这些杂草可真不是件容易的事情呀！”瑞比一边干活儿，一边气喘吁吁地向维尼抱(bào)怨(yuàn)。

“可以找人帮忙，让这累(lèi)活儿变得又轻松又有意思。你说对吗，瑞比？”维尼笑着给瑞比出主意。“可是谁会愿意干拔草的苦差事呢！”瑞比有点儿失望地说。

维尼可不这么想。只见他慢吞吞地爬到一个大箱子上，清了清嗓子，大声喊起来：“喂，大家快来呀！快来参加有趣的拔草比赛！”这一喊果然有效，不一会儿，瑞比的菜园里就聚(jù)集(jí)了一群人。

比赛开始前，维尼先向大家解释了规则：“你们每人拿一个袋子，把瑞比菜园里的杂草拔出来装进袋子里去。谁拔的草最多、用的时间最短，谁就是冠(guàn)军(jūn)。现在我来计时。”

比赛开始了，大家挽(wǎn)起袖子，干得可卖力啦！没过多久，菜园里的杂草就都被拔光了。这时，顽皮的跳跳虎笑着问瑞比：“好啦，瑞比，比赛结束了。我们帮你拔光了所有的杂草，有什么奖(jiǎng)励(lì)呀？”

瑞比回答说：“当然有奖励啦！走，大家都到我家喝(hē)下午茶去！”“噢，太棒了，还有奖励呢！”维尼高兴得大叫起来，这可是他事先没想到的！

接着，瑞比拿出吃的东西招待大家，伙伴们边喝茶边吃着美味的蛋糕，高兴极了。这时瑞比悄悄地凑(còu)到维尼身边对他说：“谢谢你，维尼。你让辛苦的劳动变成了一种乐趣！”“用愉快的心情去迎接挑战就会有乐趣。”维尼眨眨眼睛笑着说。

拔草真不是件容易的事，但是聪明的维尼却让繁(fán)重(zhòng)的拔草劳动变成了轻松快乐的游戏，大家在愉快的氛(fēn)围(wéi)中迅速完成了劳动任务。

小朋友，你在生活中是不是也经常会碰到一些麻烦的、不愿意去做的事情呢？那就向小熊维尼学习吧！遇到“难事”，换一种方式、换一种心情，你会发现一切困难都将迎(yíng)刃(rèn)而(ér)解(jiě)。

聪明的人总是可以变废为宝，而不肯动脑筋的人就只能生气发愁了。

轮胎秋千

一天，小熊维尼正在百亩林里溜(liū)达(da)，突然发现路中央横着一个旧轮胎。维尼心想："轮胎'躺'在这儿会把人绊(bàn)倒的，我来把它挪开吧！"

说干就干！他把轮胎竖起来，推着它往山上滚，一边推还一边气喘吁吁地说："这个旧轮胎真是个大麻烦呀！"

不一会儿，维尼就累得筋疲力尽了。他不小心一松手，轮胎就顺着山坡往下滚，直冲着他"跑"过来。维尼吓得拔腿就跑。

轮胎不停地滚呀滚。看着飞奔而去的轮胎，维尼不禁大喊："天哪，轮胎失控了！"

旧轮胎一直顺着山坡滚下去。袋鼠妈妈正在晾(liàng)衣服，轮胎突然直冲过来，把晾衣杆撞倒了。"是谁这么调皮呀？！"袋鼠妈妈大叫道。

旧轮胎又滚到了瑞比的菜园里，压坏了很多圆白菜。瑞比挥舞着拳头大喊："太可恶了！这是怎么回事！"

维尼、瑞比和袋鼠妈妈马上聚在一起商量旧轮胎的事。瑞比大叫道："看看我的菜园子吧，我忍受不了了！必须想办法制止它！"

这时，小猪背着一捆(kǔn)绳子过来了。"伙计们，谁看见我的轮胎了？"小猪问。瑞比气冲冲地说："原来是你的轮胎，它简直就是祸(huò)害(hai)精！"

"不会啊。它能给我们带来很多乐趣呢！"小猪争(zhēng)辩(biàn)道。就在这时，轮胎翻着跟头向大家直冲过来。"快闪开！"维尼大叫一声，连忙跳到一旁。

小猪一点儿也不惊慌，他轻(qīng)盈(yíng)地跳进轮胎槽里，轮胎立刻停了下来。"咱们只要把它固定住就行了！"小猪笑着冲朋友们喊道。

伙伴们一起把旧轮胎吊在树枝上，做成了一个轮胎秋千。"这下大伙儿不会再讨厌这个旧轮胎了！"维尼高兴地说。

维尼好心却办了坏事。还是小猪沉(chén)着(zhuó)，他让令人惊慌的轮胎变成了有趣的轮胎秋千。看来处理旧轮胎也要开动脑筋噢！

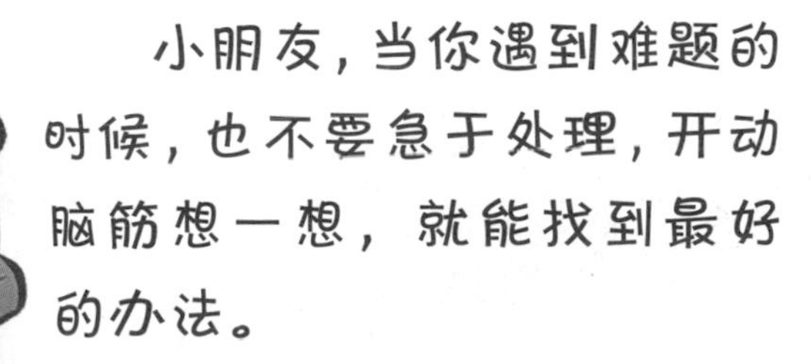

小朋友，当你遇到难题的时候，也不要急于处理，开动脑筋想一想，就能找到最好的办法。

从失败中找问题，不断尝试，不断改进，才能逐渐接近成功。

瑞比放风筝

一天，瑞比教小豆做风(fēng)筝(zheng)。风筝终于做好了，瑞比对小豆说:“走，放风筝去！”于是，他们举着刚刚做好的风筝来到屋外，小豆兴奋极了！

起风了，瑞比顺势把风筝抛(pāo)向了空中。“飞起来了！飞起来了！”小豆高兴地欢呼起来。可是好景不长，风筝只在半空中打了个晃，就一头栽了下来。

望着躺(tǎng)在地上的风筝，瑞比猜(cāi)测(cè)说：“看来，我们还得在尾巴上多加几朵蝴蝶结才行。”于是，他俩又做了一些蝴(hú)蝶(dié)结(jié)，认真地系(jì)在风筝的尾巴上。

然后，他们又把风筝拿到屋外去放。可试了半天，风筝还是飞不起来。小豆失望极了。“说不定绳子不够长，不要急。”瑞比安慰小豆说。

于是，他俩又加长了风筝的线。“但愿这次能成功。”小豆边说边帮瑞比又一次把风筝拿到屋外去放。

这回，一阵大风猛地吹来，一下子就把风筝刮上了天，连瑞比都快被拽(zhuài)得飞起来了。“好棒耶，终于飞起来喽！”小豆高兴地欢呼着。“可我也快飞起来了。”瑞比惊(jīng)慌(huāng)失(shī)措(cuò)，一时不知道怎么办才好。

“我要被风刮跑了。”瑞比惊叫着。小豆赶紧跳起来想要抓住他。可风实在太大了，瑞比很快被风筝拽飞起来。还好猫头鹰及时赶到了。

“别松手，我来救你！”说着，猫头鹰扇动着翅(chì)膀(bǎng)，用坚(jiān)硬(yìng)的嘴叼住绳子，用力把风筝

重新拽回了地面。

“谢谢你，猫头鹰。”瑞比喘着粗气向猫头鹰道谢。“干得不错，瑞比！你真的把风筝放起来了耶！”小豆为瑞比鼓起掌来。瑞比苦(kǔ)笑(xiào)着摇了摇头：“我只希望它不要带着我一起飞才好。”

放风筝是一种好玩的游戏，各式各样的风筝一起在空中飞舞的样子真是漂亮极了。小小的风筝看似简单易做，但若让它高高地飞上天还真不易，必须不断地进行尝(cháng)试(shì)和改进。小朋友，不论做什么事情都要有这种认真的态度。

很多“难题”都绝不是顽固而不可战胜的，只需将问题考虑得周到、细致、全面，灵活应对，就能获得满意的结果。

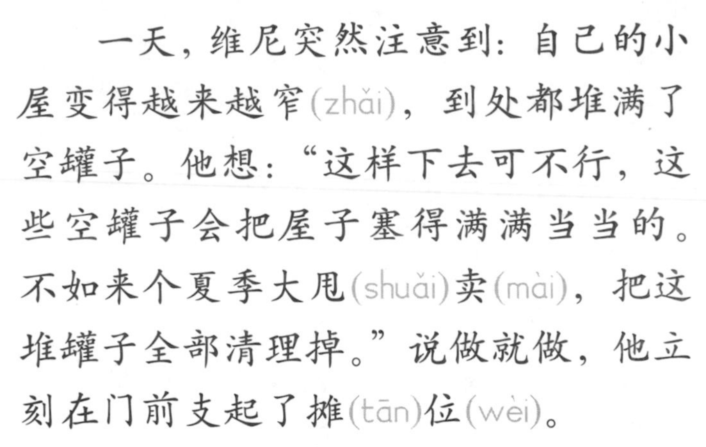

夏季大甩卖

一天，维尼突然注意到：自己的小屋变得越来越窄(zhǎi)，到处都堆满了空罐子。他想：“这样下去可不行，这些空罐子会把屋子塞得满满当当的。不如来个夏季大甩(shuǎi)卖(mài)，把这堆罐子全部清理掉。”说做就做，他立刻在门前支起了摊(tān)位(wèi)。

不一会儿就有好多人凑过来看。瑞比也来了，指着怀里的旧木箱对维尼说：“我这儿有一个木箱，里面种了六棵西红柿。可现在它们长得太大了，箱子盛(chéng)不下。我想和你换六个罐子，把它们分开种。”维尼爽(shuǎng)快(kuài)地答应了。

看着瑞比推走了六个空罐儿，维尼还真有点儿舍不得。“再见了，老朋友！”他小声和蜂蜜罐告别。现在，摊位上就只剩下一个蜂蜜罐了。

这时，小猪拉着一个大澡盆走过来。“这个澡盆对我来说实在太大了，我想用它换你的罐子。”小猪气喘吁吁地说。这个交换也成交了。

维尼把箱子和澡(zǎo)盆(pén)搬回屋里。没想到，它们比那堆罐子占的地方还要大。“这下更糟了！”维尼急得直叹(tàn)气(qì)。

“唉，我好想念那些罐子。”但维尼心里明白：瑞比是不会再把它们换回来的。还好，维尼有主意了！他赶紧朝小猪家跑去。

“你用这个大罐子洗澡不太合适，水太深了，”维尼抱回自己心爱的罐子对小猪说，“我还是给你换一个好用的迷你澡盆吧！”说着就把瑞比的木箱递给他，小猪对他的新澡盆满(mǎn)意(yì)极了！

随后，维尼又把小猪的大澡盆搬到瑞比家。“你的西红柿好像更愿意生活在一起，我来给你换一个巨大的花盆吧！”维尼比划着，用小猪的澡盆重又换回了六个罐子。

回到家里，维尼的心终于踏(tā)实(shi)了。“有了这堆罐子，才更像我的家呀！”他不禁“咯咯”地笑了。

维尼换了个角度处理问题，不仅拿回了自己心爱的蜂蜜罐，也帮朋友满足了各自的需要。小朋友，尝试动脑筋灵活地解决问题吧，你会发现生活可以变得更舒适、更方便。

快点长得高高的，像哥哥姐姐一样去上学，这一定是每个小朋友的梦想。其实只要乖乖吃饭，锻炼身体，你就离这个目标不远了哦！

人在高处不觉矮

一个大晴天，维尼和小猪来到园子里摘浆(jiāng)果(guǒ)。小猪个儿矮(ǎi)够不着高处的果子，急得直嚷嚷。

“每年夏天，我只能眼睁睁地看着高处的果子，就是够不着！”小猪抱怨道。“是呀，你是该长高点儿了。”维尼边说边用手比划着。

“可我怎么才能长高呢？”小猪一脸的委(wěi)屈(qū)。“你可以到高坡上去呀，那里每一样东西都长得特别高！”维尼说着就拉起小猪往高坡上跑去。

高坡上长满了高高的向日葵(kuí)。维尼解释道：“上次我到这儿来的时候，这些向日葵比你还矮呢。可你看，现在它们长得多高呀！”

说着，维尼就把小猪的双脚埋在土里。“把你种在这里，你就会长高了！”维尼郑(zhèng)重(zhòng)其(qí)事(shì)地说。瑞比路过时却不以为然地嘲笑道：“真荒(huāng)唐(táng)，简直是在说梦话！”

小猪耐心地等待着，期盼自己能一下子长得高高的，可等了半天也没动静。“大概还得浇(jiāo)点

儿水吧！”维尼也不知该怎么办了。

可浇了水还是没变化！小猪不禁开始抱怨：“我觉得这方法对我一点儿用都没有！”

“照我看，不管你把小猪种在哪儿，他都不会长高的。”瑞比又开始给他们泼(pō)冷水。可话音未落，地面竟开始颤(chàn)动起来。

小猪在缓缓地往上长，一眨眼的工夫就长得比维尼还高了！“快看，他真的在长高耶！”维尼惊喜得喊了起来。

“真是奇迹呀，我得赶快在这儿种些蔬(shū)菜(cài)。”瑞比惊异极了，转身就往家跑。可惜他并没看清真相：是谷佛在底下把小猪托了起来。“噢，这儿不是果子林呀！”谷佛风趣地说。

“我带你去！”维尼暗自发笑，“你看，小猪，我说过这高坡会帮你够到高处的浆果吧！”小猪踩在谷佛的肩(jiān)膀(bǎng)上，果然连最高处的果子都够得到呢！

小朋友，你们是不是也像小猪一样希望自己快点儿长高呢？其实长高是一个逐渐变化的过程，小朋友要好好吃饭、锻炼身体、保持充足的睡眠才能慢慢长高，千万不能着急哦！

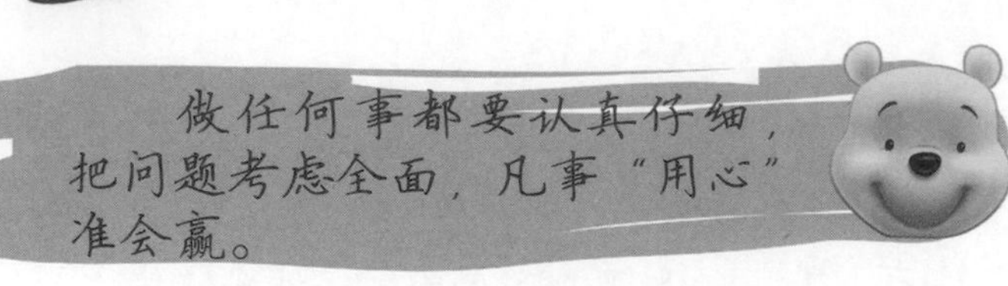

维尼锯桌子

一天，小熊维尼正坐在桌子旁(páng)边(biān)吃蜂蜜，突然他不小心碰了桌子一下，桌子一摇晃，把蜂蜜罐给晃倒了，蜂蜜洒(sǎ)了出来，弄得到处都是。“噢，天啊！”维尼惊叫道。黏糊糊的蜂蜜弄了他一身！

维尼掀开桌布一看：原来有一条桌腿比其他三条都短，所以桌子才摇晃。他嘟囔着说：“要是桌子总是摇晃，我就没法儿好好吃蜂蜜了！”

为了让桌子保持平稳，维尼决定把桌子的另外三条腿都锯掉一点儿。“这样桌子就不会再摇晃了。”他笑着说。他很快找来工(gōng)具(jù)，认真地干(gàn)起来。

锯完了桌腿，维尼把桌子翻过来准备试一试。没想到，桌子比以前倾斜得更厉害了！他恼火地说：“真烦人，桌子腿怎么还是不一样高呢？”

“不能就这么算了，我一定得把桌子弄平稳！”维尼不甘心。于是他又开始锯桌腿。

可是，不知道为什么，每次他把桌腿锯短后，桌子总会有一点儿不平稳。

“没问题，它归你了！”维尼正郁闷呢，听说这张桌子还能派(pài)上用场，就爽快地答应了。“可是这下你就没有桌子用了！”小猪关切地问。

维尼自有办法！他说：“放心吧，我那个最大的蜂蜜罐完全可以当桌子用！”说着，他就在大蜂蜜罐旁坐下来，津津有味地吃起了蜂蜜。

眼看着桌子腿被锯得越来越短(duǎn)，维尼心想：“我再试最后一次吧！”

这次维尼格外小心，终于使桌子不(bù)再(zài)摇晃。糟糕的是，现在的桌子只剩下一点点高了。维尼失望地说：“桌子这么矮(ǎi)，我没法坐在旁边吃蜂蜜了。”

这时候小猪来了，他看见这张有(yǒu)趣(qù)的桌子，高兴地说：“这桌子正适合我用！要是你愿意的话，就把它送给我吧！”

小朋友，看了这个故事你有什么想法吗？如果维尼考虑周全一些，先量好每条桌腿的尺寸，就能把问题一次解决，不会闹这样的笑话。小朋友，凡事先考虑周到，再用心去做，肯定能把事情办好！

维尼的新发明

一个天寒地冻的大冷天，维尼又觉得肚子饿了。他心里默默地嘀咕着："我真想知道袋鼠妈妈有没有烤香(xiāng)喷(pēn)喷、热(rè)烘(hōng)烘的面包，要不我上她家瞧瞧去吧！"

维尼来到袋鼠妈妈家，发现她碰到了难题。袋鼠妈妈苦恼地对维尼说："我的闹(nào)钟(zhōng)坏了，今天烤不成面包了。"

维尼听了有些疑惑，他不知道闹钟和烤面包之间有什么联系。袋鼠妈妈解释说："面粉大约要和十几分钟才可以用来烤面包，要是没有闹钟，我就把握不好时间。"

原来是这样。维尼立刻信心十足地说："我会修理闹钟！"其实他以前从来没修过，不过这会儿他的肚子正饿(è)得咕噜咕噜直叫，他可不想错过任何吃烤面包的机会。

维尼开始修闹钟了。他一边拆一边嘟囔："哎呀，闹钟里怎么有这么多零件呀？"现在他才发现，修理闹钟可不是件容易的事！

维尼费了好大的劲儿才把闹钟零件重新组(zǔ)装(zhuāng)好，但明显装得不太对劲儿。他摸了摸脑袋说："闹钟好像变样了。"

袋鼠妈妈试了试闹钟，发现闹钟不但不响，还不停地转来转去。维尼看着自己的"杰作"，失望地说："噢，天哪，闹钟不应该是这个样子的！"

维尼把袋鼠妈妈的闹钟"修"坏了，觉得很不好意思。他灰心丧气地说："对不起，看来今天我们吃不上热面包了。"

失(shī)望(wàng)的维尼正要回家去，袋鼠妈妈叫住他说："维尼，你快看！虽然你没把闹钟修好，却给我做了一个

特棒的'搅(jiǎo)拌(bàn)器'！"说着，她把闹钟放进装面的大盆里，闹钟立即转了起来，开始和面了。

没过多久，袋鼠妈妈的面包就烤好了。维尼一边吃着香香的蜂蜜三明治，一边拍着自己发明的"搅拌器"夸赞道："真香啊！火候掌握得好极了！"

生活就是这样，总会有出乎意料的事情发生。只要小朋友肯动手，开动你的小脑瓜儿，也许你也可以成为一个小小发明家呢！

变大变小

一天，外面呼呼地刮(guā)着大风，维尼恰好出来晾衣服。他自言自语地说："趁着等衣服晾干的这个时间，我正好去吃点儿蜂蜜！"

说着，他转身回到屋里找蜂蜜吃。可是，一阵大风吹来，把他的衣服全刮跑了。维尼见状大叫道："噢，天哪！我得赶紧去找衣服！"

说完，维尼极不情(qíng)愿(yuàn)地放下蜂蜜到百亩林里去找衣服。突然，他看见一根树枝上挂着一件蓝色的睡衣和一顶帽子。

他高兴地说："太好了，我的衣服在那儿！这下我又可以回家吃蜂蜜了。"

回到家，维尼想换上找回来的睡衣。可穿上衣服、戴上帽子时他发现，它们都变小了。"哎呀，太小了！"衣服裹在身上，他都有点儿喘不过气来了。

"看来我不能再吃蜂蜜了，我得减(jiǎn)肥(féi)了！"维尼气(qì)恼(nǎo)地说。可一想到不能吃蜂蜜，维尼觉得肚子又开始"咕噜咕噜"地叫了。

与此同时，在小豆家，袋鼠妈妈正

抱着小豆到屋外去收衣服。袋鼠妈妈惊讶地发现：她晾在树枝上的小豆的睡衣不见了。她对小豆说："你的衣服被风刮走了！"

小豆四下望了望，指着远处高兴地大叫道："妈妈，快看，我的衣服在那儿！"可是等小豆穿上捡回的睡衣时，他发现衣服竟然那么大。

"哎呀，我怎么变小了！"小豆吃惊地说，"看来以后我得多吃些东西，不然我会越来越瘦(shòu)小(xiǎo)的！"

袋鼠妈妈觉得事情有些奇(qí)怪(guài)，于是她仔细地看了看睡衣上的标(biāo)签(qiān)。她恍(huǎng)然(rán)大(dà)悟(wù)，笑着说："看来是弄混了！这衣服应该是维尼的。"

袋鼠妈妈和小豆来到了维尼家，她跟维尼解释说："风把大家洗(xǐ)的衣服吹乱了。"小豆开心地说："太好啦，太好啦！原来我没变小！"维尼也开心地笑着说："我真是太高兴了，我又能吃蜂蜜了！咱们现在就来点儿蜂蜜吧，怎么样？"

小朋友，知道吗，在幼儿园或者其他一些场合，极有可能发生小豆和维尼这种拿错衣服的事情。玩具、衣服用品等等由于相像可能会搞混，所以一定要记得做记号。万一拿错也不要紧，友好地处理问题，不要过早下结论，以免搞得大家不愉快。

声音是看不见、摸不着的东西，它就藏在我们的喉咙里；若是你发不出声音了，恐怕是生病的缘故。

藏在蜂蜜罐里的声音

一天，维尼刚推开小猪家的门，小猪就热(rè)情(qíng)地打招呼："你好，维尼！跳跳虎要和我一起去放风筝，你去吗？"不知维尼怎么啦？他张大了嘴(zuǐ)巴，却一句话也说不出来！

"一起去吧！伙计！"跳跳虎大大咧咧地说，"外(wài)面(miàn)的天气好极了，正适合放风筝！"然而维尼还是一句话也说不出来！

维尼努(nǔ)力(lì)张开嘴，好像要说什么。可……可……大家一个字也听不见！"哇，你的声音丢啦！"小猪吓得大叫起来。

"真是太可怕了！"跳跳虎也急了，"既然维尼丢了声音，我们就应该帮他找(zhǎo)回来！"说完，跳跳虎头也不回地跳向树林。

不一会儿，三个小家伙就来到了瑞比家。"维尼的声音丢了，你看见了吗？"跳跳虎一进门就问，边问边用眼睛四处搜寻。

"声音什么样？像什么？"瑞比问。"唔，我想，它一定像维尼吧！"小

猪尖着嗓子说，“又软(ruǎn)又圆又可爱！”

当朋友们快走到袋鼠妈妈家时，小豆老远就向他们喊：“嗨，大家好！你们是来玩的吧！”

“我们是搜寻团！”瑞比告诉小豆，“我们在找维尼丢失的声音。”“啊！我能加入吗？”小豆兴奋地问。

很快，每个人都开始为寻找维尼的声音而忙碌起来，只有维尼自己例外，闷闷不乐地坐(zuò)在树桩上。

“你们在干什么？”猫头鹰站在树枝上问。“维尼的声音丢了，我们在帮他找呢！”小猪仰(yǎng)起(qǐ)头(tóu)说。

“唔，你们在这儿可找不着什么声音！”猫头鹰清清嗓(sǎng)子(zi)对维尼说，“你知道，树上是不长声音的。回家吃点儿蜂蜜吧，那样你的声音就会回来啦！”

于是，维尼和朋友们回到家，按照猫头鹰说的做了。“谁也想不到，”维尼快乐地说，“原来我的声音一直藏在蜂蜜罐里！”

小朋友，其实声音是看不见也摸不着的，它也不会跟我们藏猫猫！维尼的朋友们显然不知道这些，因而弄出了笑话。维尼是因为想吃蜂蜜才不说话的，你是这样认为吗？

聪明的人是指的那些爱动脑筋，细心观察，能够抓住解决问题的关键的人，他们常常能又快又好地解决问题。

小鸟餐桌

小猪在花园里做了个小鸟餐桌。他自言自语地说：“我放一些吃的在桌上，小鸟一饿，就会来吃了。”想到小鸟啄(zhuó)食(shí)的样子，小猪不禁笑出了声。

这时维尼来了。“这个餐桌也太小啦！”维尼有点儿纳闷儿地说。

小猪笑着解释：“这是小鸟餐桌，我要用它喂小鸟。”维尼一听，马上高兴地说：“太好了！我帮你把吃的放到上面吧！”

维尼和小猪在小鸟餐桌上撒了些吃的，又放上一碗(wǎn)水，然后就坐在地上耐(nài)心(xīn)地等小鸟来吃。

可他们等啊等啊……连个小鸟的影子都没等来！小猪叹口气，难过地说：“看来小鸟不喜欢我做的餐桌！”维尼安慰他说：“也许它们不知道这儿有吃的。”

“那咱们把吃的给它们送去吧！”说干就干！小猪和维尼把吃的装在一个碗里就出发去找小鸟了。

路过瑞比的菜园时，他们听到瑞比愤(fèn)怒(nù)地喊着：“嗨，走开！”原来他正在园子里跑来跑去忙着赶鸟呢！

瑞比嘟囔道：“这些讨厌的鸟总吃我的种子！”小猪一听，恍然大悟地说：“噢，我知道小鸟为什么不到我的桌子上吃东西啦！原来，它们忙着吃瑞比的种子呢。”

呀，不好，维尼不小心把吃的撒到地上啦！可没想到，小鸟却一下子飞(fēi)下来，开始吃地上的食物！“我有主意啦！”小猪见状大叫一声。

“哈，快来撒吧！我们一边走，一边撒，把吃的一路撒到餐桌那儿，小鸟就会被引过去啦！”小猪真聪明！

就这样，维尼和小猪在前(qián)面(miàn)撒，小鸟就在后(hòu)面(miàn)吃呀吃呀，一直跟到餐桌那儿。

“看！他们到我的桌上吃啦！”小猪兴奋得一蹦三尺高。瑞比也高兴地说：“现在它们总算知道该到哪儿吃东西了，不会再吃我的种(zhǒng)子(zi)啦！”

动脑筋就能想出好办法！小猪想出了把小鸟吸引到“小鸟餐桌”就餐的好办法，不仅喂了小鸟，还帮瑞比解决了难题。小朋友，当你遇到困难时，也要开动脑筋想办法哦！

遇到紧急情况不能一味地慌乱不知所措，要学会沉着冷静，观察周围环境，利用现有的条件，在短暂的时间里采取果断的措施。

小船和雨伞

雨终于停了！小猪和维尼迫(pò)不(bù)及(jí)待(dài)地拿起早就折好的纸(zhǐ)船(chuán)，准备到河边放着玩。“我们最好还是带把伞，”小猪提议说，“万一又下雨呢！”两个好朋友说着朝小码(mǎ)头(tóu)走去。到了那儿，他们看到跳跳虎正跳进停在岸边的小船里。“哇，小船真好看！”维尼赞叹道。跳跳虎连忙补充说：“它可不是一般的小船，它是只正宗的平底船！”

“瞧，不用船(chuán)桨(jiǎng)，只用这根长篙就可以把平底船开走。”跳跳虎挥了挥手中的竹(zhú)竿(gān)炫耀说。接着，跳跳虎一板一眼地给维尼和小猪作起了示范，让他们看看究竟该怎样划平底船。

“小心！”猫头鹰也来了，他停在码头上提醒跳跳虎，“长篙很容易卡在河床里！”

事情就是这么巧，猫头鹰话音未

落，长篙就真的被卡住不动了——这回又让他给说着了！可平底船却依旧自顾自地继(jì)续(xù)向前方驶去，只把跳跳虎一个人丢下。他使劲地抱着长篙不肯松手，长长的尾巴也紧紧地盘绕在上面，那架势着实滑稽可笑！“这个傻跳跳虎！”猫头鹰无可奈何地责备了一句。小猪和维尼在旁边也替跳跳虎捏(niē)了一把汗，得赶紧想办法救他呀！

维尼看了一眼握在小猪手中的雨伞，突然有了主意。“有办法了！”他惊喜地喊道。说着他就拿过小猪的雨伞，小心地撑(chēng)开，然后又找来一根绳子系在伞把上。准备好以后，他把伞倒过来放在河里，一点一点地松开绳子，让伞顺着水流慢慢地朝跳跳虎漂过去。

跳跳虎这下可不敢那么冒失了，乖乖地跳进伞里。维尼用力把他安全地拖到岸上。见跳跳虎脱(tuō)离(lí)了危险，朋友们高兴地欢呼起来！“这样看来，坐‘伞船’才是真正的乘船旅(lǚ)行(xíng)呢！”跳跳虎大笑着说。

小朋友，在生活中我们经常会遇到各种各样的麻烦事。遇到麻烦该怎么办呢？哭和不知所措肯定不能解决问题！我们应该向维尼学习，自己动脑筋，解决难题。你们说对吗？

遇到难题要勇敢面对，还要开动脑筋想对策。这样的话，任何困难都能克服。

会“飞”的小猪

风(fēng)和(hé)日(rì)丽(lì)的一天，小猪和维尼懒(lǎn)洋洋地坐在花园里晒太阳。这时罗宾来了，手里还拿着一大把五(wǔ)颜(yán)六(liù)色(sè)的气球。

小猪赞(zàn)叹(tàn)道：“哇，好漂亮的气球啊！”罗宾说：“那给你玩吧，小猪！”小猪高兴地连忙接了过来。

突然，一阵狂(kuáng)风吹来，小猪连同气球一起飘飘悠悠升(shēng)上了天空。他吓得尖叫起来：“天啊，我可不想在半空中玩气球！”

罗宾朝小猪大喊：“抓紧，小猪！别害怕，我们会接住你的！”他和维尼紧紧地跟在小猪后面，追呀追呀。可是小猪越飞越远(yuǎn)，已经够(gòu)不(bu)着(zháo)了。

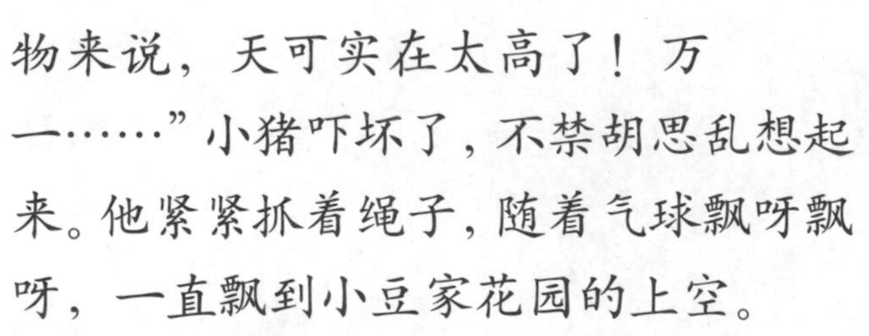

“噢，天啊，对我这么小的一个小动物来说，天可实在太高了！万一……”小猪吓坏了，不禁胡思乱想起来。他紧紧抓着绳子，随着气球飘呀飘呀，一直飘到小豆家花园的上空。

跳跳虎和小豆正在院子里玩弹(dàn)弓(gōng)射水球，小豆把水装在气球里，用弹弓射向跳跳虎，跳跳虎则左(zuǒ)

扑(pū)右(yòu)跳(tiào)地用手去接。他们玩得正欢，突然看到小猪从他们头上飘过，全都吃惊地张大了嘴巴。小豆好奇地问：“咦，小猪想去哪儿呢？”就在这时，罗宾和维尼气喘吁吁地跑了过来。

罗宾着急地说：“我们得帮帮小猪，气球把他带跑了。”“别担心，”跳跳虎举起手中的弹弓，“我们用弹弓射破(pò)气球，小猪不就下来了吗？”

跳跳虎可真会想办法！这时袋鼠妈妈把毯子从晾衣绳上取下来，让大家抓住毯子的四角，准备接小猪。跳跳虎则在一旁用弹弓对准气球发射水弹。

砰！砰！砰！砰！气球全被射中了！小猪安全地落在了毯子上，朋友们欢呼起来。“小猪，真高兴你又回来了。”维尼说着，紧紧搂住他。小猪傻傻地笑着说：“我也是！小猪可不会飞！”

小猪被气球带着“飞”起来多惊险呀！多亏朋友们开动脑筋想办法，齐心协力帮助小猪安全地降落下来。小朋友，当你遇到难题时，也应该向百亩林的小伙伴们学习，勇敢地面对难题，积极开动脑筋解决问题，这样才是聪明勇敢的好孩子！

露营

一天，维尼和朋友们准备去露营。大家都到齐(qí)了，就差(chà)跳跳虎一个。大家等啊等啊，等了很久，跳跳虎还是没来。维尼说：“看来跳跳虎不会来了，我们还是自己走吧。”

大家只好出发了。小豆叹了口气说：“要是跳跳虎来了该多好啊！”他们边走边聊，谁也没有注意到维尼的手提包破了个洞(dòng)，钉(dīng)帐篷用的钉子正一个一个从破洞中掉出来！

没过多久，朋友们就在树林里找到了一块很棒的空地，非常适合露营！小豆兴奋极了，大声嚷嚷道：“我们就把帐篷搭在这儿吧！”小猪接着问：“那谁带(dài)了帐篷呢？”“我带着呢！”维尼边说边打开了背包。

搭帐篷可不像想象的那么容易！大家翻(fān)来(lái)覆(fù)去(qù)摆弄了半天也不行，维尼慢条斯理地说：“我觉得这样支帐篷不太对啊！”

于是，他们开始重搭。维尼对小猪说：“把你那边的帐篷往下拽(zhuài)！”小猪尖声喊道：“得有人帮我一起拽

啊！”小豆听了连忙过去帮他。

帐篷终于搭好了。小猪问：“钉帐篷的钉子呢？”“在我这儿呢！”维尼应道。可是当他打开手提包时，里面已经什么都没有了！

维尼失望地说：“不好！钉子全掉了！这下拿什么固(gù)定(dìng)帐篷呢？”小豆提了个建议：“咱们用石头试试吧！”

于是，他们开始四(sì)处(chù)捡石头，围着帐篷压(yā)了一圈。“好累啊！”小猪气喘吁吁地说。就在这时，跳跳虎一蹦一跳地赶来了，老远就喊：“你们好哇，露营者们！”小豆喜出望外地问道：“跳跳虎！你怎么找到我们的？”“那还不容易！我沿着你们掉的帐篷钉找来的！”跳跳虎咧着嘴笑着说。维尼也笑着说：“嘿，这下咱们就能把帐篷固定好了！”“还有，跳跳虎也能和咱们一起露营了！”小豆开心地说。

虽然钉子丢了，但维尼和伙伴们用石头解决了固定帐篷的问题。小朋友们在生活中也会时常遇到难题的，不要总依赖爸爸、妈妈，试着自己开动脑筋解决问题吧，相信你也能做得很好！

生活中遇到难题要学着自己动脑筋想办法，争取做个聪明、独立的好孩子。

维尼的好主意

一天，维尼正在整理他的树屋。看着架子上、地板上歪(wāi)七(qī)扭(niǔ)八(bā)躺着那么多蜂蜜罐，他有些犯难了。“家里到处都是蜂蜜罐，实在太乱了，我该怎么处理它们呢？”维尼开始盘算起来。

“有了！”维尼想起了搭积(jī)木(mù)的游戏，他把地板上的蜂蜜罐像搭积木一样一个个码起来，靠(kào)着门堆(duī)放在一起。这样果然节省空(kōng)间(jiān)，地板上立刻变得整齐起来。

正当维尼看着自己的杰作得意的时候，小猪恰好来看他。小猪猛地一推门，不小心把所有的蜂蜜罐都碰倒了，他和维尼全都吓了一跳。

维尼看着散(sàn)落了一地的蜂蜜罐，苦恼地说：“小猪，我郁闷极了！我的小树屋总是不够宽(kuān)敞(chǎng)！可是我不能不吃蜂蜜啊，但我又不知该把这些蜂蜜罐放在哪儿。”

“要是你爬(pá)到蜂蜜罐里去，屋子就会宽敞多了！”小猪说，“来吧，有的蜂蜜罐还挺大的呢！”说着，小猪就钻进了一个大罐子里。

小猪这个调皮的动作给了维尼一个很大的启示。“哈！我终于知道该怎么做了！”维尼说，“如果咱们能站在蜂蜜罐里，那蜂蜜罐自己也可以站在里面呀！”

小猪有些不明白维尼的意思。“答案就是把蜂蜜罐摞(luò)起来。”维尼高兴地说。接着，维尼把所有的蜂蜜罐按从小到大的顺序一个一个套(tào)起来，这样所有的蜂蜜罐就被码成一摞，几乎和维尼差不多高呢，而它们在地板上占的面积却只有一个蜂蜜罐底儿那么大，真是不错的主意！

可一转眼的工夫，维尼又从门外拉了一车装(zhuāng)满蜂蜜的蜂蜜罐进来！他气喘吁吁地说：“真是一点儿都不好玩！放上这些新的蜂蜜罐，我屋子里又该没地方了！”小猪看着贪吃的维尼，无奈地摇了摇头。

维尼还真是聪明，试了好几个办法，终于把屋子整理好了。可他那贪吃的毛病……不过，维尼遇到问题善于动脑筋的好习惯还是值得小朋友学习的，你们说对吗？

直接指出小伙伴身上的错误，往往会使双方都很不愉快，换一种巧妙的方式去处理，往往能收到意想不到的好效果！

最快的人

一天，跳跳虎飞(fēi)快(kuài)地跳着从维尼和小猪身边经过。他俩吓得连忙闪(shǎn)开(kāi)，免得被撞。“喂，跳跳虎，你怎么总是到处乱撞呀？”维尼躲闪不及，摔了个屁股蹲(dūn)儿，有些生气地叫道。

跳跳虎跳着退回来说：“因为我是百亩林里最快的人！最快的人就应该行(xíng)动(dòng)迅速，这总没错吧？”

维尼听了反问道：“照你这么说，如果你不是最快的人，就不会到处乱撞啦？”“没错！只有最快的人才会这么做！”跳跳虎回答得理(lǐ)直(zhí)气(qì)壮(zhuàng)，还扭(niǔ)过头得意地吹起了口哨。

这时，小猪对跳跳虎说：“可我知道还有人比你快！”“谁？”跳跳虎和维尼异(yì)口(kǒu)同(tóng)声(shēng)地问道。小猪拍拍胸(xiōng)脯(pú)回答：“就是我！”

跳跳虎听了哈哈大笑着说：“你这小家伙怎么能跟我这样的跳跃高手比

呢！”小猪可不这么想，信心十足地要跟他比赛，看谁先跑到山那边。

跳跳虎爽快地答应了。维尼当起了裁判，他挥(huī)舞(wǔ)了一下手里的手帕：“预备——开始！”说时迟，那时快，跳跳虎听到口令后就飞快地向山上跳去。看起来小猪根本没机会赢。

可是，当跳跳虎到达山那边的终点线时，不禁大吃一惊：小猪竟然已经坐在那儿等他了！跳跳虎目(mù)瞪(dèng)口(kǒu)呆(dāi)地站在那里，不敢相信这是真的。但他也不得不认输：“看来小猪真的是百亩林里最快的人！”

这时，维尼也赶来了，跳跳虎觉得很没面子，垂头丧气地走开了。小猪用胳膊肘轻轻地捅了捅维尼，指着旁边的一个兔子洞，神秘地笑道：“嘿嘿，不好意思，我是抄了近路才成为最快的人的。”

小朋友，你们说小猪的行为算是欺骗吗？让我们来看看后面的故事吧！第二天，小猪把自己在比赛中的“欺骗行为”告诉了跳跳虎，并向他道了歉。跳跳虎没有怪小猪，他知道小猪是为了帮他纠正坏习惯才那样做的。他原谅了小猪，而且还渐渐改掉了冒冒失失乱撞的毛病。

小脑瓜儿越用越灵，遇事多动脑筋，你会变得更聪明。

鲜花的魔力

小熊维尼站在一棵大树下，仰着头眼巴巴地看着树上那黄灿灿的蜂蜜。实在是太诱(yòu)人(rén)了，维尼迅速爬上树，来到蜂窝旁，一个劲儿地往外掏(tāo)着蜂蜜，根本没注意到蜜蜂们正往家赶呢。

突然，维尼听到耳边传来一阵熟(shú)悉(xī)的嗡嗡声。哎呀，不好！得赶紧跑！一大群黑压压的蜜蜂紧跟在他后面追，可怜的维尼吓得拼命地往前跑。

维尼跑呀跑呀，突然看到路旁有一块大岩石，他赶紧躲到大岩石后面，双手抱着头，等着挨(ái)蜇(zhē)。出乎意料的是，那些蜜蜂没有一只追过来的，而是统统落在了附近的一片鲜花上。“蜜蜂喜欢鲜花，就像我喜欢蜂蜜一样。”想到这儿，维尼脑子里立刻冒出一个好主意。

小熊维尼回到家后，急急忙忙吃了一顿蜂蜜晚(wǎn)餐(cān)，然后换上睡衣，躺在他的小床上，开始盘算着自己的计划。“我得先做条小木船才行。”想到这儿，维尼找来木头、锯、刨(bào)子(zi)，做起了小木船。他得意极了，还哼起了“蜜罐曲”。

不一会儿，小木船做好了。维尼把它放在床头柜上，不停地端(duān)详(xiáng)，看着看着就进入了梦乡。在梦里，他正坐在树杈(chà)上大口大口地吃蜂蜜呢。

第二天午饭前，小熊维尼悄悄地来到他昨天

偷蜂蜜的大树下。离大树不远处有一片鲜(xiān)花(huā)丛(cóng)，很多蜜蜂在那里忙忙碌碌地飞来飞去。维尼轻手轻脚地绕过树干，在树旁的花丛里采了一把鲜花。

他把鲜花放在昨晚赶(gǎn)制(zhi)的小木船上，然后把小木船放进河水里，一松手，小船就载(zǎi)着鲜花，顺着河水向下游漂去。

你猜猜看，接下来会发生什么事情？

成群的蜜蜂跟着小船和美丽的鲜花漂(piāo)流(liú)而去了！看到蜜蜂都飞走了，手(shǒu)舞(wǔ)足(zú)蹈(dǎo)的维尼迅速地爬到树上，来到蜂窝旁，开始掏美味的蜂蜜。这下可以无(wú)拘(jū)无(wú)束(shù)地享用香甜的蜂蜜了。

小朋友，你说，维尼是不是一只聪明的小熊呀？

你也学学他，遇事多动脑筋，你的小脑袋瓜就会越变越聪(cōng)明(ming)了。

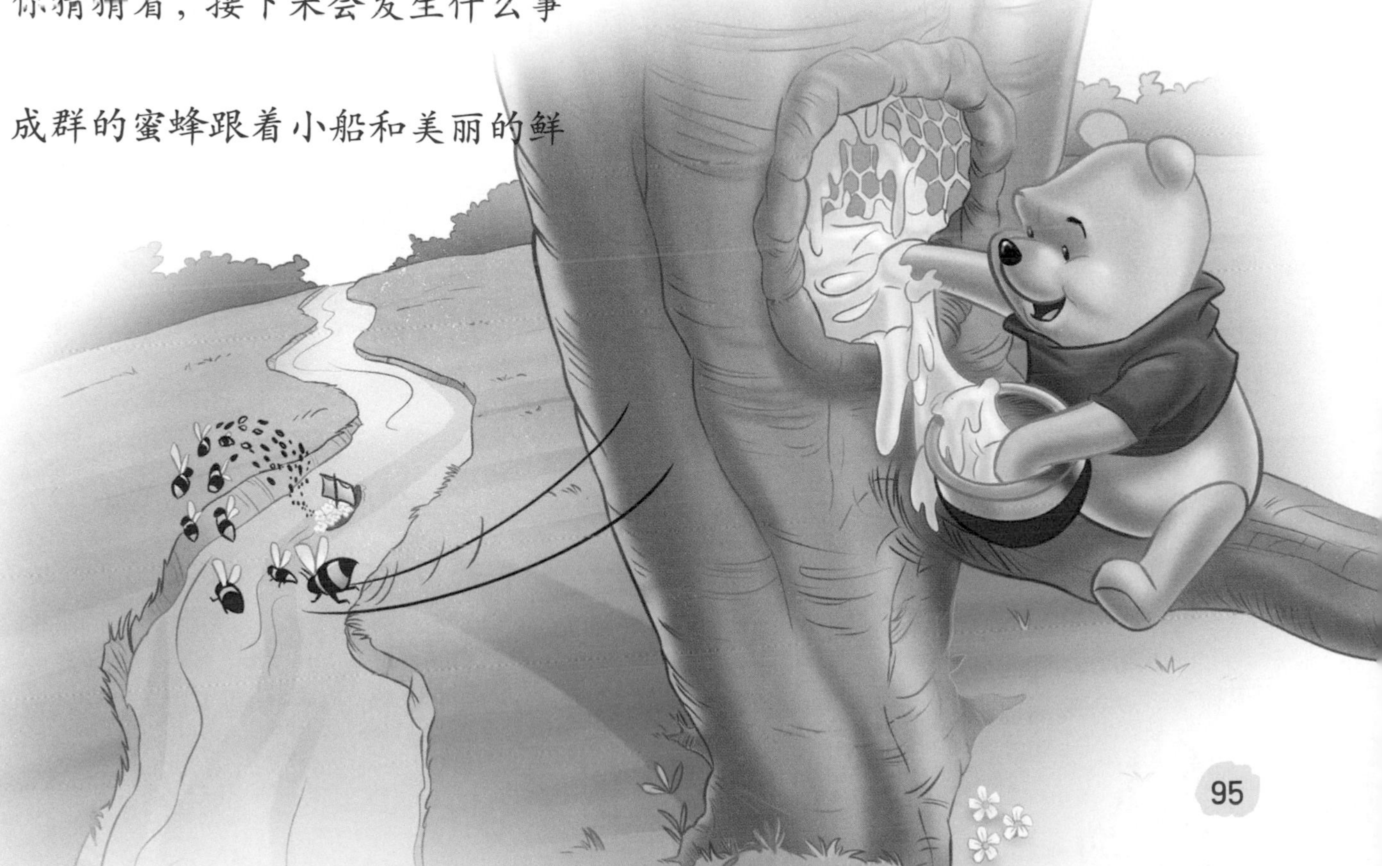

爱动脑筋的人他的生活会丰富多彩，享受到更多的乐趣，而懒惰的人就只能常常与烦恼做伴了！

滑车的新玩法

这天，维尼和跳跳虎在山坡上比赛玩滑车，看谁先滑到山底。“哟嗬！好刺激呦！真好玩！”跳跳虎兴奋极了，高呼着向山脚下冲去。

可是，要把车子重新推回山顶就没那么刺(cì)激(jī)了。他们吃力地向山上推着车子，维尼累(lèi)得直喘粗气。

费了九牛二虎之力，他们终于把车子推上了山顶。“肯定还有更容易、更省事的办法！”跳跳虎上气不接下气地说。

“对了，有主意了！”说着，跳跳虎找来一根粗(cū)绳子，把它牢牢地拴(shuān)在车子后边。他转过头来对维尼说：“我‘嗖’地一下子滑下去，然后你再把我拉上来。我们就这样轮流拉好了，维尼！”说完他“嘿嘿”地笑着跳进了车里。

可是，要想把跳跳虎连同车子一起拉上山顶实在是太难了！维尼呼哧呼哧地喘着粗气，累出了满头大汗。他上气不接下气地说：“我觉得你这个主意实在不怎么高明！”

“现在，你们分别朝相反的方向滑！”说着，小猪用力一推，跳跳虎的车子就像箭(jiàn)一样朝山坡下冲去。

这时，小猪又向相反的方向推维尼的车子，维尼的车也顺着山坡向下滑去。有意思的是，与此同时，跳跳虎的车被绳子牵(qiān)引(yǐn)着拉上了坡顶！“这下我们可以一直不停地玩，也用不着那么费劲地往山顶上拉车子了。”维尼高兴得欢呼起来，“实在是太棒了！”

不一会儿，维尼和跳跳虎都累得不愿再动了。“拉车子上山实在太费劲儿了，向下滑时的那点儿乐趣早被冲得一干二净了。”维尼坐在地上直嘟囔。

小猪看到他俩这么狼(láng)狈(bèi)，就给他们献上了一条妙计：“你们为什么不试试推拉一起来呢？”

说着，小猪捡起绳子，把它搭在一根粗(cū)壮(zhuàng)的树枝上。然后，他又把绳子的两端分别系在两辆车子的尾部。

小猪爱动脑筋，发明了更有趣的玩法，给朋友们带来了欢乐，看他们玩得多开心！小朋友，我们是不是也该向小猪学习啊？

懂得与人分享的人永远都不会缺乏快乐，因为他的真诚一定也会换来别人的爱与帮助。

“航空”邮件

一天，维尼想邀请小猪一起吃午餐。“我来给他写封邀(yāo)请(qǐng)信吧！”维尼一时兴起，拿起笔写了起来。

“航空邮件应该是最快的邮寄方式吧。”维尼想着就把邀请信折(zhé)成一只纸飞机朝小猪家的方向扔了出去。

就在这时，一阵风吹过来，刚好把纸飞机吹到了袋鼠妈妈家的门垫上。

袋鼠妈妈捡(jiǎn)起纸飞机一看，上面写着：一顿美味的小小午餐正在维尼家等着你！“太好了！”袋鼠妈妈高兴地说。

“我应该写封回信。”袋鼠妈妈想。她把回信也折成纸飞机，朝维尼家的方向扔了出去。可是这次，风儿又把纸飞机吹到了屹耳家。

屹耳把信打开念道：“我会在12点钟到达你家。”“噢，天哪！有客(kè)人(rén)要来，可我什么都没准备呢。”屹耳着急起来。

“有了，我的朋友们也许能帮得上忙。”屹耳说着，把一张写有“请带蜂蜜到屹耳家”的字条也折成纸飞机扔(rēng)了出去。

纸飞机飞到了小猪家，小猪家可一滴蜂蜜都没有。“哈哈，这也难不倒我。我知道谁有蜂蜜。”小猪笑眯眯地说。

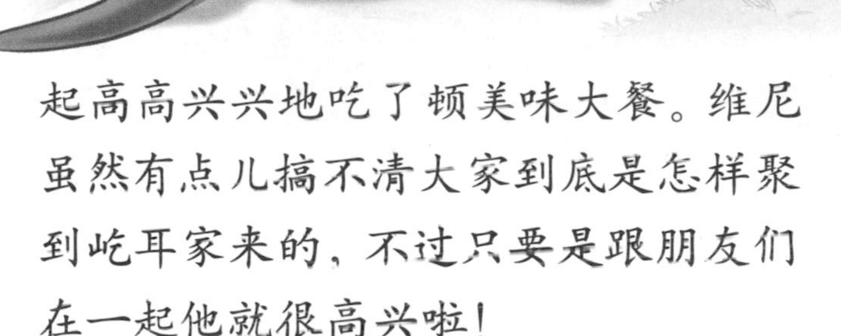

小猪来到维尼家把字条拿给他看。“可要是把蜂蜜分给屹耳，就剩(shèng)不下多少给咱们当午餐了！”维尼有些犹(yóu)豫(yù)地说。

不过，维尼最后还是决定分一些蜂蜜给屹耳。他和小猪刚一出门，恰好碰上袋鼠妈妈。“我带了点儿别的吃的，咱们的午餐不能只有蜂蜜呀！”袋鼠妈妈笑着对维尼说。

最后，维尼、小猪、袋鼠妈妈都到了屹耳家，大家一起高高兴兴地吃了顿美味大餐。维尼虽然有点儿搞不清大家到底是怎样聚到屹耳家来的，不过只要是跟朋友们在一起他就很高兴啦！

维尼异想天开的“航空”邮件，最后竟歪打正着地促成了伙伴们的集(jí)体(tǐ)聚餐！这是因为百亩林里的伙伴们都知道：只有自己快乐并不是真正的快乐，快乐是要和大家一起分享的。小朋友，当你快乐的时候，你也愿意和自己的小伙伴一起分享吗？

一个人独处的快乐总会有一些孤单与寂寞的感觉，和朋友在一起的快乐才最纯粹、最温馨。

瑞比的门垫

夏天天气特别干(gān)燥(zào)，瑞比发现只要有人到他家来，就会把外面的尘土带进屋子里。“哎呀，真麻烦！”瑞比边打扫边抱(bào)怨(yuàn)。

瑞比决定用水泥做一个门垫，这样朋友们来的时候就可以把尘土都留在门垫上，不会弄脏屋子。

可是水泥门垫还没晾干维尼就来了。“嗨，瑞比，你在干什么呢？”维尼好奇地问。

瑞比望着维尼在水泥门垫上留下的大脚印，叹了口气说：“完了，这个门垫又得重新弄了！”维尼一看自己闯了祸，心想还是赶(gǎn)紧(jǐn)走的好。

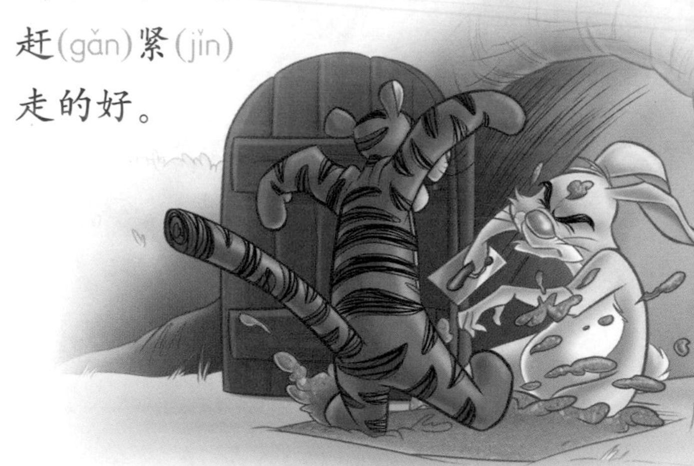

维尼刚走，跳跳虎又来了。“你好呀，老伙计！我正好路过，顺便来看看你！”跳跳虎说着，一步跳到了湿湿的水泥门垫上，水泥溅(jiàn)得到处都是。

瑞比不高兴地说：“这是我的

新门垫啊，这下又要返工了，都是因为你！”跳跳虎一听，转身灰溜溜地走了。

瑞比刚把水泥门垫重新刷了一遍，小豆又来了，他双脚踩在门垫上问：“瑞比，你能出来跟我一起玩吗？”这时瑞比再也忍不住了。

“你们为什么就不能让我单独待一会儿？”瑞比生气地大吼道。可怜的小豆吓得直发(fā)抖(dǒu)。

看着小豆满脸惊恐的样子，瑞比突然意识到：其实根本不值得为这种小事朝朋友们发那么大的火。“对不起！”瑞比向小豆道(dào)歉(qiàn)。

接下来，瑞比把朋友们都叫到了他家门前，还特意让每个朋友都在水泥门垫上留下了一对脚印。朋友们都惊(jīng)讶(yà)极了。

瑞比笑呵呵地对大家说：“好了，从今天起，这些脚印就能时时刻刻提醒我——有这么多好朋友来看望我，我是多幸(xìng)福(fú)啊！”

没有朋友来做客，瑞比的家里也许可以保持一尘不染。但屋里少了朋友们的欢笑，瑞比一定会感到非常寂(jì)寞(mò)。幸好瑞比最终想明白了：门垫可远远没有好朋友重要！小朋友，请记住：友情是世界上最美好的情感之一，拥有朋友，就拥有了欢笑和快乐。好好珍惜你和朋友之间的友情吧！

人的一生中总会不断地参与竞争，只有遵守竞争规则的人才会获得对手的肯定与尊敬。

大个子与小个子

这是一个晴朗的日子，伙伴们正无(wú)聊(liáo)地闲待着，忽然，跳跳虎提议打篮球。大家都觉得这主意棒极了，纷纷表示赞同。“咱们分成两组来比赛吧！”跳跳虎建议说。

“好啊好啊！”瑞比举双手赞成，“那得先分组！我认为应该把个头大的分成一组，个头小的分成一组。因为咱们当中谁大谁小一目了然，这样容易区分。”说完，瑞比暗(àn)自(zì)窃(qiè)喜(xǐ)：个头大的一组准能赢(yíng)。

接着，瑞比把跳跳虎和维尼拉到自己身边，把他俩和自己一起归为个头大的一组。留下小猪和小豆组成个头小的一组。

“不行，你们组多一个人！”小豆撅(juē)着嘴不满地喊道。瑞比笑着回答：“这可不是我们的错噢，百亩林里再没有别的小个子了！”

比赛开始了，大个子组毫不费力地占(zhàn)据(jù)了主动，小个子组却连球都抢不到。

小豆不服气地说："这太不公平了！我要去给小个子组再找一个队员。"说完他飞快地朝百亩林里跑去。

不一会儿，小豆回来了，身后还一摇一摆地跟着一位——竟然是小象胖胖！大伙儿一看小豆把胖胖请来了，都惊讶极了。胖胖比大个子组里的任何一个都要高出很多呢！"胖胖不能算小个子！"瑞比连忙抗议。

"不，我应该算！因为妈妈总说我是一头听话的'小'象！"胖胖"咯咯"地笑着回答。

这时，瑞比悄悄地对跳跳虎说："别担心，伙计，咱们一样能赢，因为咱们比他们跳得高！"

"我可不认为跳得高能对咱们有什么帮助，你瞧！"跳跳虎无奈地说。只见胖胖扬起他的长鼻子，轻而易举地就把篮球送进了篮(lán)筐(kuāng)里。

比赛结束了，小个子组赢得了胜利。小豆笑嘻嘻地安慰瑞比说："没关系的，瑞比。下次比赛的时候，你可以用别的方式来分组啊！"

瑞比分组时偏向自己，可本以为稳(wěn)操(cāo)胜(shèng)券(quàn)的他最后还是落得失败的下场。其实在比赛中，输赢并不是关键，公平友好地竞争才最重要！小朋友，记住了吗？

用心去帮助别人，让对方感到生活的美好，人与人之间温馨的情感。对你来说，这种帮助也会获得心灵的充实感，不妨多多尝试！

正点的圣诞礼物

圣诞节到了，终于可以悬挂各自的圣诞长袜了，跳跳虎和小豆兴奋极了。“每年的这个时候，我都会感到浓浓的圣诞气(qì)氛(fēn)。”跳跳虎感(gǎn)慨(kǎi)地说。

这时，屹耳出现在了门口，他又忙着找自己的尾巴呢！“真倒霉，圣诞节别人都收礼物，我却偏偏丢(diū)东西。”屹耳无奈地叹了口气。

“把你的长袜和我们的挂在一起吧，这样你也会得到礼物的。”小豆建议道。“我倒不想要什么礼物，只要能把尾巴找回来我就知足了。”屹耳嘟(dū)嘟(du)囔(nāng)囔(nang)地说。

“这样吧，屹耳，在尾巴找回来之前，你就暂时拿这只长袜代替你的尾巴，怎么样？”跳跳虎半开玩笑半认真地把长袜别在屹耳的身后。

“这样才更像过圣诞节嘛！”小豆也在一旁打(dǎ)趣(qù)地说。“可我这个样子实在太可笑了。算了，我还是躲在家里，等过了圣诞节再出门吧。”说完，屹耳垂(chuí)头(tóu)丧(sàng)气(qì)地走了。

“唉，将就着吧，也许我会习惯拖着一只袜子做尾巴的！”屹耳打了个哈欠，迷迷糊糊地睡着了。在梦里，他还听到了雪(xuě)橇(qiāo)上那悦耳的银铃声呢！

第二天一大早，屹耳一觉醒来，发现长袜不知被谁动过了，里面还装着礼物盒呢！“我猜准是我不喜欢的东西。”他一边想着，一边半(bàn)信(xìn)半(bàn)疑(yí)地打开盒子。

里面装的竟然正是他丢失的尾巴！屹耳真是太激动了，他终于忍不住咧开大嘴笑着说：“我的愿望终于实现了，这个礼物好棒耶！”这时，跳跳虎和小豆突然从他背后跳了出来，屹耳顿时明白了：是他的朋友帮他找到尾巴的，还把它作为圣诞礼物送给他。他高兴地用嘴叼(diāo)着尾巴，感激地点着头向跳跳虎和小豆致(zhì)意(yì)。伙伴们也都开心极了。这真是个让人难忘的圣诞节呀！

每个小朋友都盼着能在过节时收到礼物，可是小朋友们已经是大孩子了，也应该学着为别人送份礼物或者帮助别人做些什么了。这样的节日过起来才更有意义。

要做成一件事，有的时候只靠一个人的力量是不够的，大家必须相互配合才行。

百亩林才能赛

一天，维尼和他的朋友们坐在百亩林里一起休息。维尼建议说："咱们想想能做点儿什么有意思的事呢？"

有主意了！维尼爬上树桩叫道："我们可以来一场才能赛！"

"什么是才……才能呀？"小猪说。"才能就是你最擅(shàn)长(cháng)的事。"猫头鹰解释道，"举例来说吧，我最擅长写诗，所以我会在才能赛上背诵一首诗。"袋鼠妈妈说："我擅长烤蛋糕！所以，我会做一个很棒的蛋糕！"

伙伴们一听都兴奋极了，百亩林也立刻热闹起来。瑞比组织大家搭(dā)建(jiàn)了一个舞台，他吩(fēn)咐(fù)小猪为观众准备椅子。观众当然就是罗宾喽。与此同时，每个人都在忙着准备参赛。

才能赛开始了，但当维尼站在舞台上时，事情变得不那么妙了。一边是抢着第一个上台的；一边是为蛋糕少了一块而吵架的；还有小猪怯(qiè)场(chǎng)，干脆要放弃。才能赛变成了吵架会。

"才能赛不能如期进行了。"维尼边说边伤心地准备离开。"不，维尼，你看！"罗宾指着舞台说，"大家都准备好了。"

真的！所有的朋友们都停止了争吵。“非常抱歉，维尼！”屹耳说道，“我们不想毁了你这么好的主意！所以我们不吵了。”维尼马上高兴地说：“那好吧，我想节目可以开始了！”

瑞比用他的五(wǔ)弦(xián)琴(qín)弹起欢快的曲子，小猪则在瑞比的音乐伴奏下跳起舞蹈。

维尼一边敲打着他的空蜜罐，一边哼着他的“蜜罐曲”。

接下来是跳跳虎和屹耳表演的魔(mó)术(shù)。“太棒了！”罗宾和小猪不断地欢呼着。

轮到猫头鹰上台了。他清了清嗓子，开始朗诵他的诗：献给维尼。朗(lǎng)诵(sòng)完了，猫头鹰说：“我们还有一个惊喜！”

这时，袋鼠妈妈和小豆从幕布后面走出来，手里还捧着一个诱(yòu)人(rén)的大蛋糕。虽然蛋糕少了一小块，但也足够大家吃了。“太棒了！”所有人一起欢呼起来。

维尼的好主意得到伙伴们的一致赞同，但是如果大家不配合的话，再好的主意也不能变为现实。小朋友之间也要懂得互相合作才行哟！

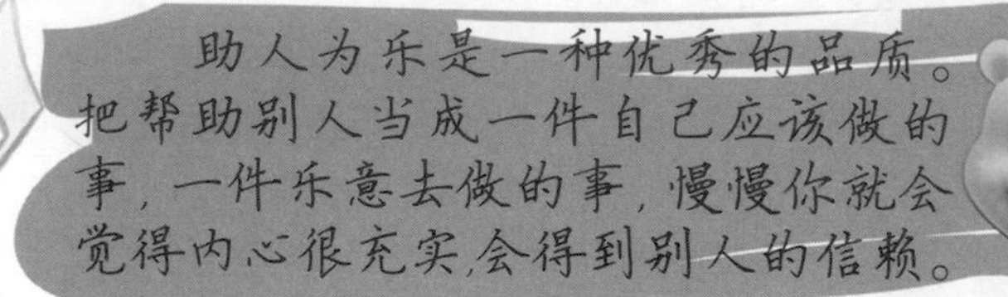

好好睡个觉

春天来了！走在春光里，小熊维尼兴奋地唱起了歌，小猪也高兴地说："春天真让人觉得舒服啊！"

但是，瑞比却坐在菜园里闷(mèn)闷(mèn)不(bù)乐(lè)，他叹了口气说："我讨厌春天！我受不了唱歌的鸟！它们一大早就在我屋外吵！"说完，他愤(fèn)愤地指着树上正唱着歌的棕色鸟儿一家。

维尼说："或许你可以搬到我那儿暂(zàn)住一下。"

瑞比抓住维尼的手高兴地大叫："哦，维尼，你真是我的好朋友！"

第二天清晨，瑞比早早地醒来了，他睡了一个好觉。瑞比还为维尼准备了烤面(miàn)包(bāo)、鸡蛋和茶水。维尼却一点儿也不想吃，因为他通常只喝蜂蜜。

早餐后，维尼决定去看小猪。瑞比

却说："不行，我们得马上去种菜！"

疲(pí)倦(juàn)的维尼和瑞比一起到菜园干活儿。这时，小猪来了，维尼苦恼地对他说："瑞比很早就把我叫醒，我好困啊；而且我觉得很饿，因为瑞比不让我吃蜂蜜。"

维尼接着说道："如果我们让鸟儿一家搬走就好了。这样瑞比就可以搬回家，而且能好好睡觉。"小猪点点头说："你说得对，但是，我们该怎么做呢？"

维尼说："对了，当它们离开时，我们就爬到那根树枝上坐着，它们回来时看到树枝被占了，就会去另找一根树枝了！"

刚商量完，鸟儿们恰好飞走了，他俩赶紧爬到树上，坐在鸟儿喜欢待的树(shù)枝(zhī)上。鸟儿们回来后，径(jìng)直(zhí)向它们喜欢的这根树枝飞过来。

但是，它们忽然停在半空中，然后向其他方向飞走了。

小猪说："太好了，现在鸟儿一家一定去找另外一根它们喜欢的树枝了。"

维尼高兴地回到家，跳到自己舒适的床上，进入了宁静的梦(mèng)乡(xiāng)。

清晨，他被一阵熟悉的歌声吵醒了。原来，鸟儿一家喜欢的新树枝就在维尼家的窗外！

维尼叹了口气说："哦，我想，春天真不是睡觉的好时候。"

小朋友，当你的小伙伴遇到麻烦，你会怎样做呢？维尼为了帮助瑞比，自己都睡不好觉了。他这种乐于帮助别人的精(jīng)神(shén)，值得我们学习哦！

朋友是一辈子都不可舍弃的财富，结识新朋友、不忘老朋友，让朋友一生永相伴！

罗宾的新朋友

情人节快到了。这天，小熊维尼来到罗宾常去的山(shān)丘(qiū)上找他，可罗宾却不在。

他又来到小猪家。小猪正在写什么，见维尼来了就赶紧藏起来。维尼问："小猪，你是不是瞒(mán)着我在干什么事呀？"

小猪只好承(chéng)认(rèn)："我正给你做情人卡呢。"维尼恍然大悟："也许罗宾也忙着做情人卡呢！"

维尼立刻召集所有的朋友一起去找罗宾。罗宾此刻正躲在一棵树后写卡片呢，卡片一角露出"维"这个字。

瑞比悄悄对维尼说："是你的名字呀！""不会吧？"维尼嘴上虽这么说，心里却美(měi)滋(zī)滋(zī)的。

这时罗宾念道："亲爱的维妮佛莱……"维尼糊(hú)涂(tu)了："维妮佛莱是谁呀？"

大家决定去找猫头鹰问个明白。

猫头鹰说："这是个女孩子的名字。我想罗宾肯定被爱的虫虫咬了一口，得了相思病。"

维尼说："那我们再去找一只爱的虫虫咬(yǎo)罗宾一口，他是不是就

会好了？”说干就干，伙伴们费了九牛二虎之力终于抓到了一只。这时罗宾来了，跳跳虎轻轻地推了推维尼说：“快把爱的虫虫放出来。”可维尼犹豫了一下，并没那么做。

罗宾问：“我要送卡(kǎ)片(piàn)给一位新朋友，你看漂亮吗？”维尼点点头。罗宾走后，大家都责怪维尼没把爱的虫虫放出来。维尼说：“可是罗宾现在很快乐，我不希望他不快乐。”

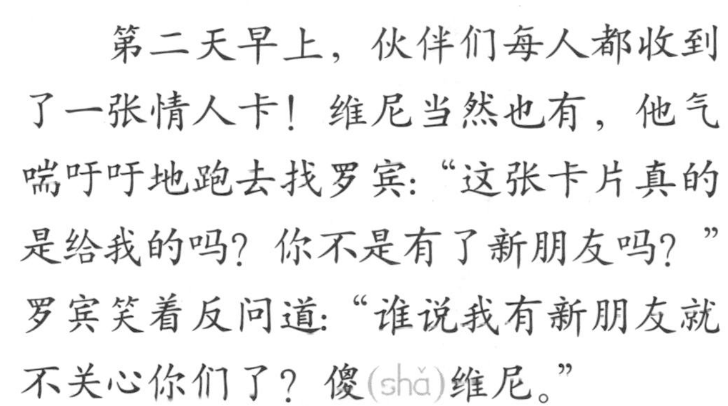

第二天早上，伙伴们每人都收到了一张情人卡！维尼当然也有，他气喘吁吁地跑去找罗宾：“这张卡片真的是给我的吗？你不是有了新朋友吗？”罗宾笑着反问道：“谁说我有新朋友就不关心你们了？傻(shǎ)维尼。”

维尼笑着说：“我开始就是这么想的。不过听你这么一说，我就放心啦。”

罗宾交了新朋友，维尼担心他不再喜欢自己了，心里很难过。还好罗宾把一切都解释清楚了。“结识新朋友，不忘老朋友。”小朋友一定别忘记这个原则哦，否(fǒu)则(zé)你的老朋友也该像维尼一样伤心了。

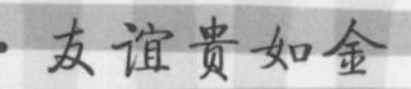

世界上有很多值得我们珍爱的东西，珍贵的友情会给生活增添无限的美好、快乐和憧憬。

忙碌的许愿星

罗宾和小熊维尼坐在山丘上看星星。维尼指着天空羡(xiàn)慕(mù)地问："罗宾，那颗真的是你的许愿星吗？""当然！"罗宾笑着说，"你也许个愿吧。"

维尼闭上眼睛："我想要甜(tián)甜的礼物！"聪明的罗宾马上拿出一罐事先藏好的蜂蜜，放在维尼脚边。

维尼一睁眼就看见了蜂蜜，兴奋极了。他连忙又许了一大串(chuàn)："再要一罐给小猪，一罐给我……"

罗宾赶紧打(dǎ)断(duàn)他："许愿星那么小，会把它累坏的！明天再说吧。"

维尼回去就把许愿星的事告诉了其他伙伴。于是，他们又一起返回去许愿。跳跳虎希望能再给他一只跳跳虎；瑞比则祈(qí)祷(dǎo)虫子不去吃他的蔬菜；小猪只求可以一个人把雪人堆好。许完愿大家就回去睡觉了，只剩下维尼一个人。他默念道："再给我一罐蜂蜜吧！"这时，天空中恰好飘来一朵云，把许愿星给遮(zhē)住了。维

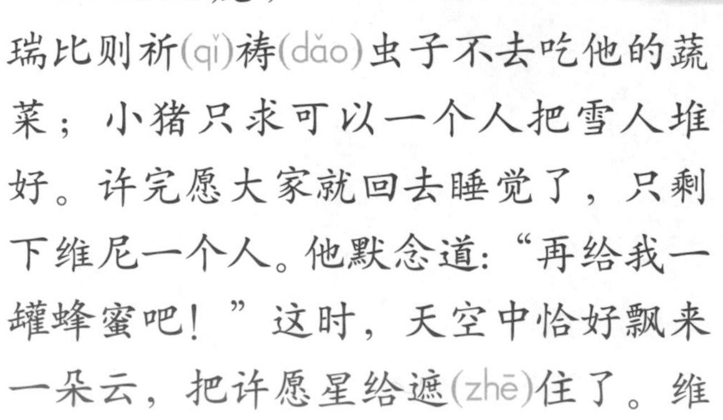

尼一抬头，发现许愿星不见了："糟了，我把罗宾的许愿星许坏了！"想到朋友们的愿望还都没实现呢，维尼更伤心了。

最后，维尼决定自己帮朋友们实现愿望！第二天，维尼非常卖力，他一会儿要扮成小猪的雪人，一会儿又要扮成另一只跳跳虎，一会儿还要当瑞比的驱(qū)虫(chóng)专家。

到了晚上，维尼又打扮成星星的模样，小心翼翼地爬上树枝——他还要为罗宾服(fú)务(wù)呢！看到罗宾朝山丘走来，维尼打招呼说："罗宾！我是许愿星，今晚将为你服务！"

罗宾微笑着许愿："希望我最好的朋友就在身边。"这时，维尼穿的星星服恰好松开了，他一下子掉进了罗宾的怀里！

罗宾开心地叫道："哇，我的愿(yuàn)望(wàng)实现了！"维尼说："怎么可能？我不听话，把你的许愿星弄坏了。"罗宾笑着说："你看！"维尼抬头看看天空，许愿星就高高地挂在那儿呢！

维尼以为弄坏了罗宾的许愿星，伤心极了。可他不知道：罗宾真正在乎的不是星星，而是他这个朋友。朋友才是最珍(zhēn)贵(guì)的！小朋友，你说呢？

与自己的伙伴们玩一次“过家家”，亲身体验一下爸爸、妈妈的操劳、辛苦。

小豆的保姆

“小豆，妈妈出去买东西，请了维尼当你的‘临(lín)时(shí)保(bǎo)姆(mǔ)’。你和他在家好好儿玩。”小豆争辩说：“不要！我要和你一起去。”

这时维尼来了。袋鼠妈妈说：“维尼，麻烦你照顾好小豆。”“噢，请放心吧。”维尼兴高采烈地答应着。

小豆和妈妈挥手告了别，耷拉着脑袋，没精打采的。维尼哄(hǒng)他说：“吃点儿蜂蜜你就会高兴起来的。”小豆大声喊：“我不要吃！”维尼有些为(wéi)难(nán)地说：“那我该怎么办呢？”

“你难道不知道该怎么照看小孩儿吗？”小豆问道。维尼摇摇头。“这个我最擅长了！”小豆说，“当保姆要做的第一件事就是玩买东西的游戏。”说完他就教维尼如何当一个收银员，如何摆玩具……游戏做完了，维尼刚想休息一会儿，小豆又喊道：“当保姆要做的第二件事就是爬(pá)树(shù)！”

维尼只好又陪(péi)他来到后院的苹果树下。“多漂亮的

苹果啊，”小豆说，“保姆们通常都会摘一些苹果当晚餐的。”维尼无(wú)奈(nài)地爬到树枝上，摘了四个又红又大的苹果，把它们夹在胳(gā)肢(zhi)窝(wō)里，小心翼翼地爬下来。

“保姆还要给小孩子洗澡！”小豆又发话了。接着，他三下五

除二地脱掉小背心，飞快地跳进浴(yù)缸(gāng)里。维尼终于帮小豆洗完了，又用毛巾给他擦干，接着说：“小豆，你该吃维(wéi)生(shēng)素(sù)了。”

“我不吃嘛！”小豆撅着嘴使劲摇头。“唉，那好吧。”维尼忍不住叹了一口气，一屁股跌坐在椅子上，“你为什么不给我吃一勺呢？我想我现在正需要这种药。”

“维尼乖(guāi)，吃药药。”小豆高兴起来，用大人说话的语气对维尼说。

“啊，我好多了！”维尼叹了口气，“小豆，你真是个好保姆。”

这时袋鼠妈妈回来了。“妈妈！我正在照看小孩儿呢！”小豆连忙喊，“我正在照看维尼！”

小豆的顽(wán)皮(pí)真把维尼累坏了。小朋友，请跟你的妈妈玩个互(hù)换(huàn)角色的游戏吧，你的体验会深刻一些。

朋友的爱是世间最珍贵的情感，只有懂得珍惜的人才能感受拥有它的幸福。

小猪大行动

小猪正在家里制(zhì)作(zuò)画册，画册里的每一页都记录着他和朋友们的快乐经历。

这时，维尼、屹耳、跳跳虎和瑞比正好打窗前经过。他们要去采蜂蜜！小猪非常想加入，可是朋友们觉得他太小了，不愿带他一起去。小猪只好偷偷地跟在后面。

可他们一去就被蜜蜂蜇(zhē)得四处逃(táo)窜(cuàn)，幸亏小猪冲过来引开了蜜蜂，才使他们顺利地采到了蜂蜜。可他们只顾带着蜂蜜回去庆功，把小猪一个人忘在了树林里。

蜜蜂们还是在后面紧追不舍。恰巧小猪的家就在附近，他们只好先躲进小猪家里。

在那里，维尼无意间发现了那本画册。这时大家才注意到：小猪没有跟回来！“他那么小，会有危(wēi)险(xiǎn)的！”于是，大伙儿决定把画册当地图，沿着每页图片上的线(xiàn)索(suǒ)去寻找小猪。

朋友们先看到一幅袋鼠妈妈和小豆的画(huà)像(xiàng)。想起当初他们刚搬到百亩林时，正是小猪让大家知

道了袋鼠一家的友好。于是，大家一起去了袋鼠妈妈家。袋鼠妈妈拿出甜饼招(zhāo)待(dài)他们，还让小豆也加入了搜(sōu)寻队伍。朋友们又出发了。

小豆翻到画册的下一页，上面画的是“北极”探险的故事：那次又是小猪在危机时刻救出了落水的小豆。小豆想起这一幕，忍不住哭了。

“他还为我造过大房子呢。”屹耳提(tí)醒(xǐng)大家。大伙儿接着翻小猪的画册，想起了小猪帮屹耳盖房子的故事。“那是我住过的最好的房子！”屹耳难过地说。

大家都非常想念小猪，他总是那么乐(lè)观(guān)、聪明，爱为别人着想，可现在……就在大家难过时，小猪突然出现了：“伙伴们，终于找到你们了！”

“小猪……我们也在找你！”维尼一把将小猪搂(lǒu)在怀里，“虽然你个子小，却教会了我们许多东西。我们真的离不开你，了不起的小猪！”说完，所有的朋友都拥过来，将小猪抛向空中，快乐地欢呼起来。

小猪的行为让朋友们知道了人世间最美的情感是什么。小朋友一定要珍惜友情，不要等到失去了才认识到它的珍贵！

世界上比金子更珍贵的是友谊，拥有朋友的关爱才最幸福！

找金子

一天，外面下雨了，小熊维尼只得待在家里。他仔细清(qīng)点(diǎn)起他的蜂蜜罐来，发现少了一罐。

这时，小豆跑进来说："维尼，雨停了，快出来看彩(cǎi)虹(hóng)！"外面，猫头鹰和跳跳虎都在抬头看呢。

猫头鹰神秘地说："彩虹的尽头有一罐金子，那可是很值钱的东西。"跳跳虎高兴地说："那咱们一块儿去找金子吧！"他们马上出发了，恰好来找维尼的小猪也加入了找金子的行(háng)列(liè)。

小猪最先发现了一块闪闪发光的东西："快看，金子！"猫头鹰摇摇头说："那是石头。"小猪有点儿失望，但还是把漂亮的石头收藏起来了。

没走多远，跳跳虎发现了有蓝色花纹的知更鸟蛋(dàn)壳(ké)。他高兴地说："我要带走一个！真漂亮。"

小豆则看上了知更鸟的鸟

窝，他问："我能把它带走吗？"猫头鹰说："知更鸟已经不用它了，当然可以。"

忽然，维尼大叫起来："罐子！"大家赶紧跑过去，可罐子里根本不是金子，而是蜂蜜！

"噢，这是我丢的！"维尼高兴地叫起来，"准是昨天野(yě)餐(cān)时落下的。"

小猪高兴地说："看来我们找不到金子了。不过我们找到了许多宝贝，比如这块闪光的石头。"

跳跳虎说："还有蓝色的知更鸟蛋壳。"小豆说："还有漂亮的鸟(niǎo)窝(wō)。"维尼说："还有我的蜂蜜罐！"

"唉！"猫头鹰不高兴地说，"可我什么也没找到。"

维尼很快想出了一个主意。他抱起蜂蜜罐大口吃起来，吃完后一个人抱(bào)着空罐子向树林里跑去。不一会儿，维尼抱着罐子回来了，他把一整罐五颜六色的莓子捧(pěng)给猫头鹰说："虽然你没有找到彩虹尽头的金子，可是你现在有了一罐子的彩虹！"

猫头鹰看着金黄色的罐子里像彩虹一样色彩鲜(xiān)艳(yàn)的莓子，感激地说："谢谢你，维尼！"

猫头鹰清了清嗓子接着说："朋友像金子一样珍贵！"大家听了全都笑了。

小朋友，猫头鹰说得多好啊——朋友像金子一样珍贵！没有金子，我们照样可以生活得很好，可没有朋友，我们会多么孤独啊！所以，我们一定要格(gé)外(wài)珍惜朋友哦！

交朋友就要付出全部的热情与真诚，只有这样你才能收获最纯粹的友谊。

彩蛋的故事

一个春天的早上，维尼坐在家里等小猪，他要把准备好的复活节彩(cǎi)蛋(dàn)送给他的好朋友。维尼看着桌上的彩蛋想："这个彩蛋可真棒！小猪肯定喜欢吃！"

维尼往彩蛋跟前探了探身子。"嗯，真香呀！我都能闻到包装纸下诱人的巧克力香味了！"他咽(yàn)了咽口水说。

他忍不住撕开一小块包装纸，自(zì)言(yán)自(zì)语(yǔ)道："我就看一眼，小猪应该不会怪我的！"

接着，维尼又轻轻地敲开彩蛋掰下一小块放进(jìn)嘴里。他边吃边说："我就吃一小块彩蛋，小猪肯定不会介意的！"

可是维尼根本抵(dǐ)挡(dǎng)不了美味彩蛋的诱惑，他越吃越想吃，越吃越多……

吃着吃着，维尼突然发现他把送给小猪的彩蛋吃得只剩下一(yī)半(bàn)了！他自责地说："我把剩下的一半包起来吧，这样小猪也许就不会发现我已经吃掉另一半了！"

可是维尼心里老想着那剩下的半个彩蛋。他嘟囔着说："真希望小猪赶快来拿走他的彩蛋！"

过了一会儿，他实在忍不住了，把剩下的半个彩蛋也吃光了，只剩下一张空包装纸。"噢，天啊！我把送给小猪的彩蛋全吃光了！"维尼带着哭(kū)腔说。

正在这时，维尼看见小猪来到了他的屋子外面。于是，他飞快地把报纸揉(róu)成一团，让它看起来就像复活节彩蛋一样。

维尼和小猪互(hù)相(xiāng)瞪着对方手里的"复活节彩蛋"，异口同声地说："我不是个好朋友。我把送给你的复活节彩蛋吃光了！"

原来小猪在来维尼家的路上，把送给维尼的彩蛋也给吃了！他只好找了一些褐色的纸，在里面包(bāo)了一些树叶当彩蛋。

看着彼此做的假彩蛋，他们都忍不住哈哈大笑起来。"你的彩蛋可真棒呀！"维尼说。"你的也不错！"小猪笑着回答。

彩蛋虽然被吃了，但他俩为了维护友情真诚地检讨自己。友情是世界上最美、最珍贵的情感之一！小朋友，如果你有要好的小伙伴，就要真诚地对待他(她)，只有这样，友情才能长久地保持下去。

每个人都应该学会克制，再美好的东西，如果它不属于自己，也决不能私自占为己有哦！

大害虫

一个大晴天，跳跳虎蹦蹦跳跳地从瑞比的园子旁边经过。他听见瑞比正冲着一群乌鸦愤怒地大叫："快走开，快走开！离(lí)我的玉米远点儿！你们这些讨(tǎo)厌(yàn)的害虫！"

瑞比看见跳跳虎过来了，苦恼地对他说："我得想个办法来保(bǎo)护(hù)玉米，不然那些乌鸦会把我的玉米全吃光的！可我究竟该怎么办？"跳跳虎听了，连忙拍(pāi)着胸脯说："不用发愁，看我的吧！我跳跳虎最会扮稻草人啦！"

瑞比相信了跳跳虎的话，拿来衣服和帽子，真的把他装(zhuāng)扮(bàn)成稻草人来吓唬乌鸦。他对跳跳虎说："要是那些乌鸦再来偷吃玉米，你只要发出声音把它们吓走就行了！"瑞比说完就离开了，只留下跳跳虎一个人看护玉米地。

不一会儿，跳跳虎站累了，他好奇地嘟囔着："我真想知道乌鸦为什么那么喜欢玉米呢？看来玉米的味(wèi)道(dào)应该很不错！"说着，他已经不知不觉地把嘴巴凑向了金(jīn)灿(càn)灿(càn)的玉米……

瑞比返回玉米地时，远远地就听见一阵“嘎吱嘎吱”的声音，他走过去定睛一看，简直被眼前的一幕惊呆了：跳跳虎正坐在地上，津津有味地啃玉米棒呢！身边还扔了一堆玉米梗和玉米叶。跳跳虎看到瑞比惊呆的样子，咂着嘴说：“玉米棒真好吃，我还没吃够呢！”

瑞比再也忍受不了了，气急败坏地说：“你这只大馋猫，简直比乌鸦还讨厌！”说着他生气地挥舞着双手，把跳跳虎赶出了玉米地。跳跳虎回头冲瑞比嘿嘿地笑着，一蹦一跳地逃(táo)走(zǒu)了。

跳跳虎走后，瑞比特意掰(bāi)了几根玉米棒给乌鸦吃。他友好地说：“乌鸦先生们，从现在开始，你们想什么时候吃玉米都行，只要你们一看见跳跳虎那个‘大害虫’出现在玉米地附(fù)近(jìn)，能及时通知我就行啦！”

小朋友，你们是不是也像跳跳虎一样有克制不了自己的时候呢？无论是面对好吃的零食还是好玩的玩具，如果它们并不属于你，一定不能霸占别人的哦！

当朋友需要帮助的时候，毫不犹豫地挺身而出，那才是真正的朋友哦！

意外惊喜

一天，小熊维尼觉得肚子饿了，于是又像往常一样开始到处找吃的。他挨个察看了家里所有的蜂蜜罐，发现里面全都空荡荡的。维尼非常失望地说：“噢，天啊！我的蜂蜜都吃光了！”

正在这时，小猪碰巧从维尼的窗外经过。但他把维尼的话听错了，以为维尼在说肚子疼呢。

小猪来不及进屋问明白，就赶紧跑去把维尼生病的消息告诉大家。他先去找瑞比，瑞比正在菜园干活儿，小猪隔着栅(zhà)栏(lan)大喊道：“瑞比，维尼生病了！”

小猪说完后，急急忙忙地找别人去了。瑞比没太听清小猪的话，他嘀咕道：“小猪是不是说维尼要挖一口新井(jǐng)？”

“维尼挖井可能需要桶(tǒng)和一些绳(shéng)子(zi)。”瑞比自言自语地说。他这么想着，连忙跑回家去准备这些东西。正在这时候，跳跳虎也来了。

瑞比把维尼要挖井的消息告诉了跳跳虎。跳跳虎建议说：“维尼送给你

的那个旧蜂蜜罐可以当一只大桶，咱们再给他送回去吧！”

“可这里面还有一些蜂蜜呢。”瑞比说。跳跳虎笑着回答：“我敢打赌，维尼肯定不会介意的。”

于是，瑞比和跳跳虎抬着那个又(yòu)大(dà)又(yòu)沉(chén)的蜂蜜罐，吭哧吭哧地朝维尼家走去。他们到了维尼家后，发现周(zhōu)围(wéi)没有任何挖井的迹象。瑞比气喘吁吁地说：“一定是小猪弄错了！”

“哎呀，我可不想把这个大蜂蜜罐再抬回去。”瑞比气恼地说。跳跳虎当然也不愿意啦。于是，他们把蜂蜜罐放在维尼家门外，空着手离开了。

一会儿，小猪又回到了维尼家。他敲了敲门，关心地问：“维尼，你的肚子还疼吗？”维尼有点儿摸不着头脑，根本听不懂小猪的话。

不过，维尼惊喜地发现了门外的大蜂蜜罐，他眼前一亮(liàng)，乐呵呵地说：“谢谢你的关心，小猪。现在我的肚子感觉好多了！”

虽然小猪和瑞比都糊里糊涂地会错了意，但他们帮助朋友的热(rè)心(xīn)肠(cháng)是值得每个小朋友学习的！

当朋友有困难时，应该挺身而出、尽力帮助，替朋友分担痛苦，绝对不可袖手旁观哦！

屹耳症

一天，屹耳又把尾(wěi)巴(ba)弄丢了，他不得不出去找尾巴。就在这时，屹耳看见跳跳虎正坐在一旁津(jīn)津(jīn)有(yǒu)味(wèi)地吃着麦芽糖。为了让屹耳忘了丢尾巴的伤心事，跳跳虎热情地邀请他跟自己一起分享美味。

屹耳垂头丧气地说："我怎么吃得下啊，你要是把尾巴弄丢了，也会没胃口的。"跳跳虎听了哈哈大笑说："我跳跳虎才不会把尾巴弄丢呢，除非我得了'屹耳症'！"

这时，屹耳突然转到跳跳虎的身后问道："那你的尾巴现在到哪儿去了呢？"他说完连忙抿(mǐn)着嘴，不让自己笑出声来。

跳跳虎一听吓了一大跳。他使劲儿地把头扭到背后去，蹦来蹦去绕(rào)了好几圈，可就是没看见自己的尾巴。难道尾巴真的丢了？他又急又气地大叫起来："这可怎么办呀？跳跳虎要是没有了会弹(tán)跳(tiào)的尾巴，就不是跳跳虎啦！"

跳跳虎可怜巴巴地请求屹耳和他一起去找尾巴，屹耳答应了。于是，两个好朋友立刻出发去百亩林里寻找各自的尾巴。

不久，他们就发现屹耳的尾巴原来挂在一棵小树(shù)杈(chà)上了。跳跳虎把尾巴拿下来，帮屹耳别好。看到屹耳已经找到了自己的尾巴，跳跳虎伤心地说："现在我成了百亩林里唯一一个没有尾巴的人了！"

听到这儿，屹耳忍不住笑了起来，其实跳跳虎的尾巴根本没弄丢，而是被他吃剩的麦牙糖粘到自己的背上去了！屹耳刚才就发现了，他就是想看看跳跳虎丢了尾巴究竟会怎样。看到刚才还说大话的跳跳虎现在急成这个样子，屹耳有些不忍心了，他帮跳跳虎把尾巴扯下来，开玩笑说："看，你的尾巴在这儿！这下你的'屹耳症'治好啦！"跳跳虎看到尾巴失(shī)而(ér)复(fù)得(dé)，高兴极了，翘(qiào)着(zhe)尾巴开心地蹦来蹦去……

小朋友，当你的好伙伴遇到不开心的事时，你会怎么办呢？是嘲笑他(她)不该为一点儿小事就愁眉苦脸；还是安慰他(她)，帮忙解决问题？你来说说看！

每个人都需要朋友，没有朋友就会感觉很孤单，和朋友在一起才最快乐。

跳跳虎的小朋友

一天，跳跳虎、罗宾和维尼一起来到河边钓(diào)鱼(yú)。你能想到吗，跳跳虎竟然第一个钓到了鱼！他兴奋地喊了起来：“我钓到鱼了！我钓到鱼了！”

跳跳虎小(xiǎo)心(xīn)翼(yì)翼(yì)地把鱼从鱼钩(gōu)上解下来，放到小鱼缸(gāng)里。他笑得合不拢嘴，温柔地对小鱼说：“嗨，你就是我的小朋友！”不一会儿，罗宾和维尼也都钓到了鱼。

该回家了，虽然有些舍(shě)不(bu)得(dé)，罗宾和维尼还是把鱼又放回到河里。维尼向小鱼告别说：“鱼儿鱼儿快快游，去找你的好朋友！”

可是跳跳虎一点儿也不想和他的新朋友分手，他说：“我可没你们那么傻，我要把它带回家。这是我钓到的，就应该属(shǔ)于(yú)我！”罗宾劝跳跳虎把鱼放回河里，他说：“鱼是和朋友们一起生活在小河里的，没有了朋友它不会快乐的。”

跳跳虎根本不肯听罗宾的劝告，还狡辩说："我就是它的朋友啊，我会好好照顾它的。你们放心吧。"说完，他得(dé)意(yì)洋(yáng)洋(yáng)地把小鱼带回了家，边走还边安慰小鱼说："你可以和我一起住呀！你会很幸福的，我会把你喂得饱饱的，还会陪你玩儿……"

回到家，大家很快就发现小鱼变得无(wú)精(jīng)打(dǎ)采(cǎi)的。"噢，天啊！我的小鱼怎么啦？"跳跳虎有些弄不明白。维尼说："我想，它是感到孤(gū)独(dú)了。"

跳跳虎想了想，觉得还是维尼说得对。他难过地叹了口气："唉，没有小鱼我会很伤心的。"话虽这么说，他还是忍痛把小鱼带到河边，放回水里去了。他依依不舍地和小鱼告(gào)别(bié)："再见啦，小鱼，我的小朋友！"

罗宾、维尼和跳跳虎站在岸边，静静地看着，小鱼冲他们摇摇尾巴告别，快快乐乐地和朋友们一起游走了。跳跳虎高兴地笑了，深有感触地说："每个人都需要朋友，鱼儿也是这样！"

小鱼儿和它的朋友们快快乐乐地游走了，虽然跳跳虎会感到不快乐，但那是暂时的，他还有维尼、小猪这帮朋友。小朋友，你们有时候是不是也会感到很孤独？没关系的，去找你的小伙伴吧，你一定会变得很快乐！

关心他人，爱护他人，处处为他人着想，就能点燃友谊这堆篝火，让每个人心里都暖融融的。

找乐子

一天下午，维尼、瑞比和小猪正在花园里晒太阳，跳跳虎一蹦一跳地朝(cháo)他们跑来。“大家下午好，咱们玩点儿什么吧！”跳跳虎真是一刻也不能闲(xián)着。

“没看见我们正忙着吗？你还是到一边自己找点儿乐(lè)子吧！”说着，瑞比打了个大哈欠。

“我跳跳虎是最善于找乐子的了！”跳跳虎“嘿嘿”地笑着，一跳一跳地消失在树林深(shēn)处。

没过多久，维尼和小猪就听到从树林里传来一阵巨(jù)大(dà)的声响。“听，是什么声音？”小猪吓(xià)得(de)心咚咚直跳。“听起来不太妙！”维尼好像感觉到了什么。

“别瞎说！我敢肯定没事的。”瑞比满不在乎地说。“万一跳跳虎找乐子找出了圈，惹出什么麻烦呢？”小猪还是不放心。

于是，他们三个蹑手蹑脚地走进树林，去找跳跳虎。“跳跳虎，你在哪儿呀？”他们边走边喊，却听不到任何回(huí)应(yìng)。

他们越往里走，那声音就越大。这太可怕了！

当他们最终确认那可怕的声音就是从地面上的某个地方传来的时候，维尼不禁倒吸了一口凉气。那大概是个怪物吧，足有两条鳄鱼那么大，它发出的声响，要比三条鳄鱼发出的还洪(hóng)亮(liàng)。

“但愿跳跳虎没碰上这可怕的家伙。”瑞比吓得身子直发抖。“我猜，他肯定和那怪物会过面了。”正说着，维尼猛然看到了跳跳虎那条虎尾巴，从怪物的大嘴里耷拉下来了！

“天啊，都怪我不好，是我把跳跳虎支开的。”瑞比后(hòu)悔(huǐ)地哭了起来。奇怪，那声音好像突然变了，听起来特别像跳跳虎在打哈欠。

“嘿！原来是跳跳虎在打呼噜！”维尼惊喜地叫了起来。“嗨，伙计们，我可找到了一件美(měi)差(chāi)——在树洞里睡大觉！”说着，跳跳虎开心地哈哈大笑起来。

找到了跳跳虎，大家可高兴了，他们一起快乐地做起了游戏……

小朋友，伙伴之间的相互关心是最珍贵的！真诚地去关爱身边的伙伴，同时也收获别人的关心，这样的你才是最幸福的！

新旧跳跳虎

一天，跳跳虎蹦蹦跳跳地经过小熊维尼的家，无意中听到了维尼和小猪的谈(tán)话(huà)。只听小猪尖声尖气地说:“这个可比旧(jiù)的好多了！”

跳跳虎听了非常好奇，于是趴(pā)到窗户上，想看个究竟。可他猛一抬头，却被眼(yǎn)前(qián)的景象吓了一大跳：透过窗户，另一个“跳跳虎”正瞪着眼睛吃惊地看着他呢！就在这时，屋子里又传出了维尼的声音:“好啦，这个新的可真棒！现在咱们只要把旧的扔(rēng)掉(diào)就行了！”

跳跳虎一听，再看看正睁大眼睛看着自己的“新跳跳虎”，好像明白了什么。他想:“我的伙伴们交了一个‘新跳跳虎’朋友，他们再也不需要我这个旧的了！”这么一想，跳跳虎难(nán)过(guò)得眼泪都快掉出来了。他低着头拖(tuō)着(zhe)沉重的脚步往家走去。

跳跳虎回到家后，吸了吸鼻涕说：“我想，百亩林里可能只需要一个跳跳虎，既然现在有了新的，那我这个旧的还是自动消(xiāo)失(shī)吧，免得留

下来讨人厌！”于是，他收拾好自己的东西，准备离开百亩林。

跳跳虎伤心地往百亩林外走去。当他再一次路过维尼家时，突然听到维尼和小猪在他身后大喊道：“嗨，跳跳虎，快过来。我们给你看一样好东西！”

跳跳虎垂头丧气地返回来，怪里怪气地对维尼和小猪说：“我已经见过你们的‘新跳跳虎’了！”维尼听了有些疑惑地笑着对他说：“我们哪有什么‘新跳跳虎’呀？只是有了一面新镜(jìng)子(zi)！”

跳跳虎听维尼这么一说，立刻高兴起来，又恢复了以往的活(huó)力(lì)。他一把扔开背在背上的行李包，一个箭步就蹦到维尼的新镜子前，上上下下仔细地打(dǎ)量(liang)着镜子里的自己，开心地说：“太好了！百亩林里可以有两个跳跳虎了，只要他们都是我！”

小朋友，你们瞧！跳跳虎是不是有些太小心眼儿啦。他把镜子里的自己误认为是别人，以为朋友们交上了新伙伴不需要他了，还差点儿做出离家出走的傻事。小朋友们，友谊可不是跳跳虎理解的这样，它是以信任和爱为基础的，博大而且无私！

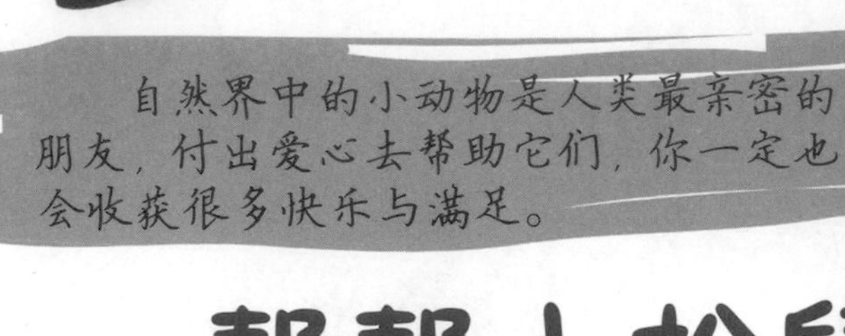

帮帮小松鼠

这天，小猪和维尼刚从猫头鹰家串门出来，一颗橡(xiàng)子突然从天而降砸到了小猪的头上。

没等小猪反应过来，一只小松鼠就敏(mǐn)捷(jié)地从树上蹦了下来，拾起掉在地上的橡子，又连蹦带跳地回到树上。“说不定那就是它的午餐呢！”小猪随口说。

猫头鹰告诉他说：“它们是在储(chǔ)存(cún)食物呢。寒冷的冬天里，小动物们很难找到吃的，所以就在秋天提前储备好。”

维尼听了马上提议说：“那咱们

从家里拿些食物送给小松鼠吧！”小猪举双手赞成。

于是，小猪和维尼分别拿了饼干和蜂蜜准备给小松鼠送去。维尼还动员小伙伴们也一起捐(juān)食物。

瞧，小豆拿出了几块蛋糕，屹耳也捐了不少他爱吃的野蓟(jì)草。这么

多好吃的东西，维尼和小猪都快拿不了了！

还是瑞比帮他们解决了困难。他不仅捐出了一堆胡萝卜，还提供了一辆手推车来运送食物。“小松鼠肯定会乐得合(hé)不(bù)拢(lǒng)嘴的！”小猪满心欢喜地想着。

可糟糕的是，手推车太重了！小猪脚下一绊(bàn)，维尼也被小猪绊倒了。手推车顺着山坡滚了下去，正好撞到了猫头鹰家的大树上。“是谁在使劲摇(yáo)晃(huàng)我家的大树呢？”猫头鹰好奇地把头探(tàn)出窗外问道。

“嗯……我们想给小松鼠送些过冬的食物。”小猪连忙解释说，“可手推车太重了，我们没控制住，它就滑下来撞到了树。”

“可你们知道吗，小松鼠只吃干果和浆果！”猫头鹰遗(yí)憾(hàn)地告诉他俩。维尼直叹气：“看来，我们根本就帮不上忙呀！”突然，小猪兴奋地喊：“帮上了，帮上了，不信你看！”

原来，刚才手推车用力一撞，把好多橡子从树上震(zhèn)落(luò)下来。看，小松鼠正在不停地往树洞里运呢！小猪和维尼又变得开心起来。

维尼和百亩林里的小伙伴们经常会帮助其他的小动物，他们的爱心值得每个小朋友学习。快从你的身边做起，从小事做起，为小动物们奉献你的爱心吧。

秋天是收获的季节，也是落叶"集会"的节日。五彩缤纷的树叶在空中飘舞，漂亮极了。落叶还有很多秘密呢，快去寻找答案吧！

蜂蜜帮维尼抓落叶

一个爽(shuǎng)朗(lǎng)的秋日，跳跳虎连蹦带跳地穿过百亩林，准备去找维尼玩。忽然，一片树叶飘下来正好落在他的鼻子上。

"哪儿来的树叶呢？"跳跳虎疑惑地抬起头，只见树上的叶子正一片一片地向下飞呢，就像在跳集(jí)体(tǐ)舞(wǔ)！

"我打赌，不等树叶落地，我就能抓住它。"跳跳虎自言自语道。说着，他猛地跳起去抓空中的落叶，完全忘了看路……

"砰"，他和维尼撞了个正着！维尼和小猪正赶路呢。"你干吗呀，跳跳虎！我的蜂蜜罐都被你撞掉了！"维尼埋(mán)怨(yuàn)着。

"瞧，它滚走了！"维尼一下子着急起来，他心爱的蜂蜜罐正顺着斜坡往下滚呢！"别急，看我的！"话音未落，跳跳虎纵(zòng)身(shēn)一(yī)跃(yuè)……

他刚好落在蜂蜜罐的前面，挡住了它的去路。"谢谢你，跳跳虎。"看

到蜂蜜罐安然无恙，维尼又高兴起来。

这时，又有一片树叶从跳跳虎面前飘过。他猛地一跳，"抓到啦！"跳跳虎忍不住大喊，可他落地时却把可怜的小猪压在了下面。"哎哟！"小猪痛苦地叫起来。

"瞧你干了些什么？"维尼责(zé)

怪(guài)起跳跳虎来。跳跳虎赶紧解(jiě)释(shì)。听完，维尼和小猪也觉得抓叶子的游戏挺有意思，就和他一起玩起来。

一片树叶飘下来，刚好碰到小猪的鼻(bí)子，又晃晃悠悠地向下飘去。小猪猛一伸手，“我也抓到了！”他兴奋极了！可是维尼费了好大劲，却一片也没抓到。

“太累了。”维尼觉得肚子饿了，“我还是先吃点儿蜂蜜再抓吧！”他抱起蜂蜜罐一屁股坐了下来。

咦！有一片树叶正漂在蜂蜜上！“快来看，我的蜂蜜替(tì)我抓了一片树叶！”维尼喜出望外，“正好，我们每人都抓到了一片！”三个小伙伴都开心地笑了。

秋天到来了，树叶全都落了下来，一片一片的在空中旋转着，像跳舞一样，漂亮极了。小朋友，你知道树叶为什么会变色，又为什么会落下吗？快去问问妈妈这些大自然的秘密吧！

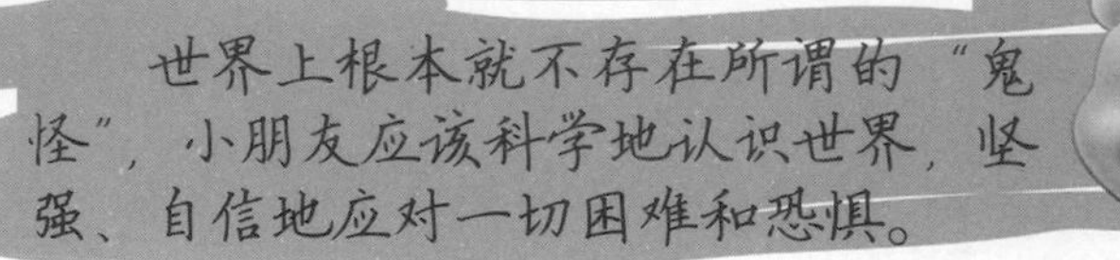

寻找大雪怪

一天下午，天空中正下着大雪。忽然，维尼听到一阵敲门声。“一定是圣诞节的贵(guì)客(kè)！”他边想，边跑出去看，可门外连个人影都没有！

维尼又四处寻找。突然，他在雪地上发现了一串大大的脚印。“肯定是大雪怪来抓我了。”他胡(hú)乱(luàn)地猜测着。

维尼赶紧跑到树林里躲起来，正巧碰上猫头鹰。维尼把发现大脚印的事告诉了他。“瑞比的脚也很大呀，说不定是他的！”猫头鹰提醒道。

他们一起来到瑞比家，瑞比正站在家门口发呆。“打(dǎ)扰(rǎo)了，瑞比。刚才是你敲(qiāo)维尼家的门吗？”猫头鹰问他。

“敲门？不是我。我睡觉时也听到有人敲我家的门呢！”瑞比吓得直哆(duō)嗦(suo)，“瞧这些可

怕的大脚印！”

“等等，袋鼠妈妈的脚也不小呀，这脚印会不会是她的？”猫头鹰又说道。于是，他们一起去找袋鼠妈妈。

袋鼠妈妈和小豆也正在纳(nà)闷(mèn)儿呢。“我们出去玩了，回来

时就发现了这些脚印！”袋鼠妈妈解释说。

“我看就是大雪怪的！”维尼坚持这样认为。于是大家顺着脚印找过去，发现脚印一直通向了罗宾家。尽管大家心里都很害怕，但是为了罗宾的安全他们还是毫不犹(yóu)豫(yù)地冲了进去。

出乎大家意料的是：罗宾独自坐在摆满圣(shèng)诞(dàn)大餐的桌子旁，好像在等什么人。大家七嘴八舌地争着向他说那些奇怪的脚印。

“脚印？什么脚印？”罗宾疑惑地问。

“哦！那才不是什么雪怪呢，那是我穿上雪地鞋挨(āi)家(jiā)挨(āi)户(hù)敲门时留下的，我是想请你们来参加圣诞聚餐！”罗宾笑着对大家说，“我是特意留下脚印，好让你们找到我这里来的！”

“聚餐？这主意不错！”维尼终于放心地笑了。“大家圣诞快乐！”罗宾高兴地欢呼起来！

维尼真是有些笨笨的，然而非常可爱!竟然想出个“大雪怪”来吓自己。小朋友，你有没有这样的经历呢？其实这世界上根本没有鬼怪，是自己的头脑在作怪，小朋友们要学着变得勇敢起来，做个勇敢的“小卫士”！

小朋友们在成长过程中难免犯错误，不干令人发笑的傻事，重要的是要吸取教训，吃一堑长一智。

绝妙的陷阱

一天，小熊维尼、小猪和罗宾一块儿在森林里散步。罗宾说："你们看，再往前一点儿，就是几天前我发现短耳鼠(shǔ)的地方。"小猪听了紧张得直发抖(dǒu)。

罗宾要去拜(bài)访(fǎng)猫头鹰，于是，他先离开了。和罗宾告别后，维尼突然信心十足地说："小猪，我决定要捉一只短耳鼠！""真的？"小猪尽管害怕但还是大声说，"那我一定会帮你的。"

"一切都好办，现在唯一的问题就是陷(xiàn)阱(jǐng)怎么挖(wā)！"小熊维尼拿起一根木棍，开始在路中间画了起来。"小猪，如果你想捉住我，你会怎么做呢？"维尼问。

"那太简单了！我会挖一个坑(kēng)，然后在坑里面放一大罐蜂蜜！"小猪叫道。

维尼顿时眉开眼笑："蜂蜜，你说得对极了！短耳鼠肯定也爱吃。"于是，他们跑到维尼家拿了一罐蜂蜜放进挖好的坑里，然后就放心地回去了。

夜里，维尼饿了，可他突然想起自己的宝贝蜂蜜在那个陷阱里。他跳下床，直奔陷阱而去。

到了那儿，维尼往下探了探身子想够到蜂蜜罐，却一不小心摔到了坑底。

巧的是，小猪也来到了坑边。他小心翼(yì)翼地往漆(qī)黑的坑底下看，只见一只可怕的“巨头怪物”正在坑底下打转转，还发出一些奇怪的声音。

小猪撒(sā)腿就跑，一直飞奔到罗宾家报告情况。

他俩又一起返回森林，来到陷阱旁。罗宾直接朝陷阱口走去，小猪赶紧躲在他身后。“砰！”深坑里传来一声闷(mèn)响。

“哦，我的天哪！罗宾，你听见了吗？”小猪尖叫道。

“我当然听见了，小猪。”罗宾竟然哈哈大笑起来。

“哗啦！”坑里又传来一阵声响——“巨头怪物”把头撞到树根上了，罐子裂(liè)成了碎(suì)片。当然，接下来他们看到的肯定是老朋友维尼。他身上有点儿脏，身子冻得直发抖。

“唉，维尼，”罗宾看着他忍不住笑道，“我太喜欢你了，小糊(hú)涂(tu)熊。”

糊涂的维尼精心设计了陷阱却把自己给陷了进去，这个错误犯得虽然可笑，但这件事给小朋友们的启发还是很深刻的。小朋友们就是在这种不断地犯错误，跌跌撞撞的磕碰中成长起来的。但记得要吸取教(jiào)训(xùn)哟！

其实生活中处处充满了乐趣，只要怀着一颗乐观、童真的心去体验、去寻找，你就会永远快乐幸福。

快乐的秋天

秋天到了，百亩林里落满了树叶。瑞比一大早就来到菜园里打扫，他是只勤(qín)劳(láo)的兔子，决不能看着院子里堆满落叶。

百亩林的另一边，小熊维尼正看着院中的景色咧(liě)嘴笑呢。对维尼来说，这是一件有趣而快乐的事！他发现有一片树叶在空中飞舞，突然很想知道做一片树叶会是什么感觉，于是维尼决定跟着它。

树叶飘过一个栅(zhà)栏(lan)，落在一堆树叶里。维尼也跟着倒在树叶堆上，体会着做一片树叶的快乐感觉。这时瑞比正在旁边站着。

“你好，瑞比！”维尼说，“你愿意跟我一起玩儿吗？”

瑞比说：“玩儿？我正忙呢。维尼，你也来帮忙吧。”瑞比带着维尼来到南瓜地里，准备摘(zhāi)南瓜。

维尼摘下一个南瓜，把它滚到一边，突然笑道：“我知道它像什么了，像我的肚子！”

瑞比看了看南瓜，又看了看维尼的肚子，咧开嘴笑着说：“哈哈，真的很像你的肚子！”维尼快活地拍拍自

己的肚子，然后又拍拍南瓜，也跟着“咯咯”笑起来。

这时，一只松鼠从树上蹿了出来，挖出几颗橡树籽，塞(sāi)进嘴里，然后又很快地返回窝里。瑞比说：“松鼠正储(chǔ)存粮食，准备过冬呢。我们也来准备一些吧。”

于是，他们一起到果园去摘苹果。维尼摘下苹果，也学着松鼠的样子把苹果塞进嘴巴里。

过了一会儿，维尼的嘴里就塞满了苹果。他跑去对瑞比呜噜呜噜地说了一大串儿话，可是瑞比什么都听不清，还被逗得哈哈大笑起来。

天色晚了，维尼要回家了，他对瑞比说：“瑞比，谢谢你教给我秋天的知识，我玩儿得很开心。”

维尼走后，瑞比准备再干一会儿。这时，他恰(qià)巧(qiǎo)看见路上有一片树叶在空中飞舞着。于是，瑞比扔下耙(pá)子，开始在百亩林中追赶那片飞着的树叶。他边跑边想：“原来秋天真是这么好玩儿啊！”

瑞比整天忙(máng)忙碌(lù)碌的，其实只要他放下手中的锄(chú)头，用自己的眼睛去观察一下他的菜园子，他就会有所发现。所以，生活中的乐趣是要用心去发掘的，乐观地看待一切，日子就会变得充满快乐。小朋友，你觉得呢？

带来好运的落叶

跳跳虎和小豆约好去摘黑莓(méi)。袋鼠妈妈为他们准备好了提篮，临走时还嘱咐他俩："你们俩别忘了，黑莓要洗干净才能吃。"

他俩点点头，蹦蹦跳跳地向树林里走去。"可是哪里有黑莓呢？"跳跳虎左瞧右看也没找见黑莓的影子，一个劲儿地嘀咕着。"我也不知道啊！"小豆直摇头，他也搞不清楚黑莓究竟长在哪儿。

这时，一片树叶从树上飘(piāo)飘(piāo)悠(you)悠(you)地落下来，接着又掉下一片。"快看呀，所有的树叶都在往下落耶！"小豆禁不住兴奋地叫了起来。

"咱俩试试，看能不能抓住它们！"跳跳虎突然激(jī)动(dòng)地说，"听说谁要是抓住了正在飘落的树叶就能交好运！那样的话，我们没准儿很快就能找到黑莓呢。"说完，他俩就兴奋地追(zhuī)逐(zhú)起那些五颜六色

的落叶来。

他俩蹦过来跳过去，开心地追着落叶。有一次，他俩还同时跳起来去

抓一片落叶，结果两人撞在了一起！“哎呦！”小豆“咯咯”地笑了。“不好，咱们谁也没抓到呀！”跳跳虎也忍不住哧哧地笑了。

忽然，又一片树叶晃晃悠悠地飘下来。“这回看我的！”跳跳虎说着一个箭(jiàn)步(bù)冲了上去……

真不幸，他竟然一头栽(zāi)进了灌木丛，全身都被刺(cì)扎得生疼。“哎哟！”只听跳跳虎大叫一声，以最快的速度蹿(cuān)了出来。“还好，总算抓住了。”他举着那片千辛万苦得来的树叶，傻傻地笑了。

“你终于找到黑莓了！”突然，小豆眼睛一亮，指着跳跳虎刚刚栽进的那片灌木丛惊喜地说，“看，那片叶子真的带给我们好运了耶！黑莓就长在它旁边呢！”他俩高兴地抱在了一起，围着那片黑莓又蹦又跳……

小朋友，你们有没有过这样的经历——付出了努力，又历经了很多小挫折后终于有了快乐的收获：也许是老师奖给你的一朵小红花，也许是妈妈买给你的一件小玩具。其实这正体现了生活中一个最简单的道理——付出就有收获。记住哦！

爱护自然界的一虫一鸟、一草一木，保护自然界的动植物，就是保护我们自己。

瑞比和毛毛虫

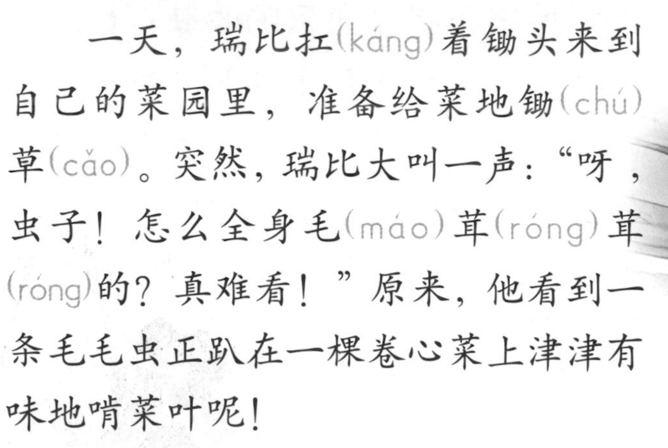

一天，瑞比扛(káng)着锄头来到自己的菜园里，准备给菜地锄(chú)草(cǎo)。突然，瑞比大叫一声："呀，虫子！怎么全身毛(máo)茸(róng)茸(róng)的？真难看！"原来，他看到一条毛毛虫正趴在一棵卷心菜上津津有味地啃菜叶呢！

"可恶的坏家伙，快躲开！我绝不能容(róng)忍(rěn)任何人破坏我辛辛苦苦种的蔬菜！"瑞比心疼地喊起来，他上前一把捏起那只毛毛虫，气冲冲地向门口走去。小猪刚好从门前经过，瑞比生气地向他抱怨道："这条毛毛虫竟敢偷吃我的蔬菜，我这儿可不欢(huān)迎(yíng)它！"

说着，瑞比就要把毛毛虫扔出去，小猪立刻挥着手上前阻止："别扔别扔！你不要那么小气嘛！"瑞比不解地回答道："可是它会吃我的蔬菜啊！"

小猪笑着说："傻瑞比！你瞧这毛毛虫多小啊，就让它在园子里待着吧，它根本吃不了多少蔬菜的，我敢打包票！"

见小猪这么坚持，瑞比只好让(ràng)步(bù)了。"那好吧，就让它继续待着吧！"瑞比皱着眉头极不情愿地说。小猪这下可高兴啦，但他还是

不放心，直到亲眼看着瑞比把毛毛虫重新放回到菜园里，才满意地离开了。

过了一个星期，瑞比和小猪到菜园里玩(wán)耍(shuǎ)。突然，他们发现菜园的栅栏上挂着一个外形怪异的小球。小猪疑惑不解地看着，不知道这究竟是什么东西。瑞比仔细观察了一下，告诉小猪说："我知道，这叫茧！"

正在这时，奇迹出现了，茧突然裂(liè)开(kāi)了。大家猜一猜，从里面飞出什么来了呢？没错！是一只美丽的蝴蝶！瑞比和小猪全都张大了嘴巴，惊奇地望着那只破茧而出的小蝴蝶。它用力地扇(shān)着翅膀，兴奋地朝着碧(bì)蓝(lán)的天空飞走了……

丑陋的毛毛虫竟然变成了美丽的花蝴蝶，大自然是多么的奇妙啊！蝴蝶可以传播花粉，帮助植物开花结果！如果瑞比将毛毛虫扔掉，他们还能发现这一奇妙的现象吗？爱护大自然的一草一木、一虫一鸟，维护生态平衡，我们人人有责啊！

有个“爱捣乱”的朋友也不坏，虽然会多一些小麻烦，但也会因此感受更多的乐趣。

扫落叶

冬天快要到了，百亩林里落满了金(jīn)黄(huáng)的树叶。于是，大家商量一起出来打扫。“好啦，完成啦！”瑞比一脸轻松地望着眼前扫起的一大堆落叶，“我终于把所有的树叶都扫完了！”咦，你瞧，那边是谁蹦蹦跳跳地过来了？

那还用问，准是跳跳虎！只见他熟练地一跳，便直直地落在了瑞比的树叶堆上。这下可好，刚刚堆起来的树(shù)叶(yè)散落得到处都是，几乎跟扫之前没什么两样。瑞比一看，气得连话都说不出来了，在一旁直吹胡子瞪眼！

接着，跳跳虎又来到袋鼠妈妈家的院(yuàn)子(zi)里。看到袋鼠妈妈正在耙树叶，他又兴(xīng)奋(fèn)地往树叶堆上跳去。结果自然不用问，又是一团糟！袋鼠妈妈满脸的不高兴。

跳跳虎才不管这么多呢，他兴奋得不得了，跳得可起劲啦，边跳边高兴地大叫：“哦噢！太好玩儿了！肯定还有别的树叶堆，我要接着跳！”瑞比和袋鼠妈妈生气地追上来，可是跳跳虎“嗖”的一声又跳走了。真是拿他没办法！

眼看着跳跳虎跳进了自己的蜂蜜罐里，维尼惊(jīng)慌(huāng)地冲他大叫："不要啊，跳跳虎！就算再好玩儿，你也不能往我的蜂(fēng)蜜(mì)罐(guàn)里跳呀！"可话音未落，跳跳虎已经迈了进去。

这下可热(rè)闹(nao)了！跳跳虎浑(hún)身(shēn)都粘满了黏黏的蜂蜜，可他还是不停脚地跳来跳去。更有趣的是，他四处乱跳的同时，也把地上的树叶全都粘(zhān)到自己身上带走了。瑞比、袋鼠妈妈和维尼望着浑身粘满树叶的跳跳虎，都忍不住咧开嘴笑了。

不一会儿，跳跳虎又发现了一个大大的圆滚滚的树叶堆。他"噌"地一下跳过去，嘴里还大喊着："嗨，小心！"他哪知道，那可不是什么树叶堆，而是盖了薄薄一层树叶的蜂蜜罐。

小朋友，在你们身边是不是也有像跳跳虎这样的小伙伴呢？他（她）总是调皮捣蛋，爱闯点儿小祸；但同时，他（她）也给大家带来了很多快乐。快来想想他（她）是谁吧！

一年四季，春夏秋冬，每个季节各有不同。留心观察身边的变化，用心去体味风景各异的每一天吧！

偷颜色的贼

一天，维尼和小猪正坐在家里喝茶(chá)聊天。突然，跳跳虎冒冒失失地撞开门，慌慌张张地闯了进来，把维尼和小猪吓了一大跳。

跳跳虎一把拉起维尼和小猪躲到了长沙发后面，神神秘秘地跟他们讲了一件“怪事”。“嘘！小声点儿。听我说，百亩林里出现了一个贼！”跳跳虎认真地说。维尼和小猪被跳跳虎的话惊呆了，不知道究竟是真(zhēn)是假(jiǎ)。

跳跳虎见他俩都将信将疑的，就壮着胆子站起来指着窗外说：“你们不信？！快看，看见外面的树叶了吗？它们都变成黄色的了，所以，肯定是有人把树叶的绿色偷走了！”

“天啊！”小猪惊慌地大叫起来，“跳跳虎，你说得没错！”说着，他赶紧翻出了夏天时他们三个一起照的照片。“你们看！这张照(zhào)片(piàn)上的叶子都是绿(lǜ)油(yóu)油(yóu)的，好看极了！可现在……”小猪吓得不敢再继续说下去了。

维尼一听也紧张起来，他首先想到了他那正咕噜咕噜叫的肚子，于是赶快把蜂蜜罐抱到怀里，担心地问：“他们不会把我的最后一罐蜂蜜也偷走吧？”

绿色！根本就没有什么偷颜色的贼！大家高兴得又叫又跳，罗宾和跳跳虎把小猪抛向了空中。可维尼还是有些不放心，以防万一，他干脆抱着蜂蜜罐哼哧哼哧地加入到伙伴中去……

自然界存在着很多奇妙的现象，小朋友，你是不是也有很多不明白的地方呢？没关系，赶快向老师还有爸爸、妈妈请教一下吧，你一定会看到一个更美的世界！

就在这个时候，传来一阵敲(qiāo)门(mén)声。“不好了，一定是偷颜色的贼来了！”他们三个都吓得不敢去开门，静静地站着以免发出声(shēng)响(xiǎng)。

“有人在家吗？”门被推开了，罗宾探进头来，这下大家都松了口气。看到他们三个紧张兮兮的样子，罗宾觉得有些奇怪。

罗宾大声叫道：“嗨！你们难道不想出来玩吗？快来看呀，秋天到了，树叶都变黄了！”这下大家都明白了，原来是秋天“偷”走了树叶的

冬眠是动物们为了保存体内能量、避免挨饿的一种过冬方式，而维尼的“冬眠”可绝对是一种不常见的特例哦！

维尼冬眠

一个大雪天，天气非常寒冷，到处是白(bái)茫(máng)茫(máng)的一片。小熊维尼在雪地里堆雪(xuě)人(rén)，玩得可开心啦。正在这时，瑞比来了。他手里拿着一本书，老远就冲着维尼大喊：“嗨，维尼，我正找你呢！”

瑞比来到维尼跟前，指着书里的图(tú)片(piàn)对他说：“这本书上说，熊在冬天都会睡觉，这种现象叫冬眠。”

维尼听了若(ruò)有(yǒu)所(suǒ)思(sī)地说：“我也是熊啊，看来我也应该回家冬眠。”说完，他就赶紧往自己家跑去。

维尼回到家后，心想：“如果我整个冬天都要睡觉的话，应该先美美地大吃一顿，免得挨饿！”于是，他搬来好几罐蜂蜜放在餐桌上，准备把它们全部“消灭”掉。

没过多久，餐桌上的蜂蜜就被他吃得一滴不剩了。要在平时，这些蜂

蜜够他吃好几天呢！他摸着吃得圆鼓鼓的肚子，心(xīn)满(mǎn)意(yì)足(zú)地说：“好啦，我想这下应该是上床睡觉的时候了！”

尽管现在是中午，维尼还是换上了睡衣，拉上了窗(chuāng)帘(lián)。他

对着窗外的世界轻轻地说了声“春天见！”就上床睡觉了。

可是，维尼躺在床上一点儿睡意都没有。他越想冬眠，头脑就变得越清(qīng)醒(xǐng)。他喃喃地说：“冬天是多么漫长的一段时间啊！”

“我一定会想(xiǎng)念(niàn)我的朋友们的，还有许许多多雪中的乐趣！”维尼越想越懊恼，他的脑子里开始不断地浮现出那些好玩儿的场景来。

不过，最让维尼郁闷的还不止这些，他有点儿惊慌地说：“最糟糕的是，如果我睡着了，就连一滴蜂蜜都吃不上了。”

第二天，瑞比惊讶地看见维尼又在雪地里玩儿，他忍不住问维尼：“你不是开始冬眠了吗？怎么还在外边玩儿呀？”

维尼笑嘻嘻地回答说：“我可跟其他的熊不一样，我只在冬天的晚上‘冬眠’，这样我就不会错(cuò)过冬天里的任何乐趣了！”

小朋友，你听说过动物冬眠的故事吗？动物为什么要冬眠呢？睡一个冬天他们会觉得饿吗？快让妈妈给你讲讲动物冬眠的故事吧。

做一个富有爱心的人并不难，只要从身边的小事做起，培养你的爱心就行啦！

小鸟蛋糕

这天，维尼和小猪在森(sēn)林(lín)里散步。小猪说："冬天到了，小鸟的食物少啦，它们可能会饿肚子的，真可怜！我们应该帮帮它们！""小猪，你说得对！"维尼点点头，"这事可太重要了！我们得赶快到袋鼠妈妈家，把这个情况告(gào)诉(su)她！"

维尼和小猪急忙来到袋鼠妈妈家里。"袋鼠妈妈，我们想要喂小鸟，帮帮我们吧！"小猪和维尼异口同声地说。袋鼠妈妈热情地答应了。

不一会儿，袋鼠妈妈就准备好了所有的材(cái)料(liào)，小伙伴们开始一起动手拌鸟食。"我可不喜欢吃这东西。"小豆舔舔舌头说。"但是，袋鼠妈妈说小鸟喜欢！"维尼咧着嘴笑了。

"我们现在可以喂小鸟了吗？"维尼都等不及啦。"别那么急呀，等我把小鸟蛋糕也准备好才行！"袋鼠妈妈回答。

小伙伴们只好先到外面去玩儿。这时候，跳跳虎一蹦一跳地来了！"你们在干什么？"跳跳虎大叫着问。"我们正准备喂小鸟呢，看来你已经开始喂(wèi)它们了！"小猪

看着跳跳虎撒在地上的饼(bǐng)干(gān)渣(zhā)儿，"咯咯"地笑着说。

一会儿，小鸟蛋糕就做好了。袋鼠妈妈对大家说："大家赶紧行动，把

小鸟蛋糕一个一个地挂(guà)到树枝上去。记住，挂得越高越好哦！”话音未落，维尼、小猪还有小豆就全都争着上前领(lǐng)蛋糕。“哈哈！听起来我最适合做这个工(gōng)作(zuò)！”跳跳虎比他们动作都迅速，第一个领到了蛋糕。当然，他的嗓门也总是最高的！

只见跳跳虎大叫着“晚餐来啦！”然后纵身一跃，一个小鸟蛋糕就被他挂到了高高的树枝上，他兴奋地说：“现在你们不会挨饿啦！”看到小鸟津津有味地吃起了蛋糕，维尼、小猪、小豆高兴地欢呼起来……

小朋友，你们知道吗？大自然是我们赖以生存的基础，所以，爱护大自然是我们的责任。每到冬天，大自然中不冬眠的小动物，例如小鸟，它们的食物变得越来越少，你们也可以像维尼一样为小鸟准备一点儿食物！奉献你们的爱心，它们就会非常感谢你的！

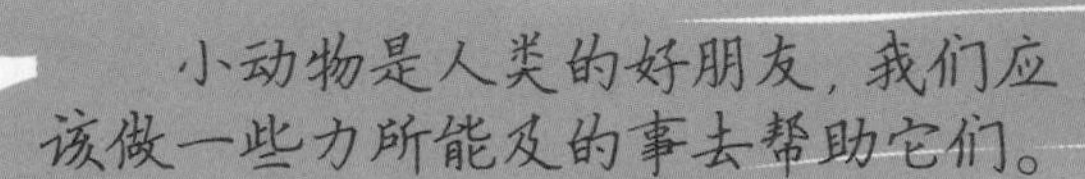

快帮小鸟来做窝

真好，春(chūn)天又到了。在维尼的花园里，小鸟们飞来飞去，忙(máng)忙(máng)碌(lù)碌(lù)地在树上做窝。“这些小鸟多辛苦啊！”小猪说。

“咱们为什么不帮帮它们呢？”总是助(zhù)人(rén)为(wéi)乐(lè)的维尼提出了建议，“小猪，咱俩到我的储(chǔ)藏(cáng)室看看吧，也许能找到可以给小鸟做窝的东西。”

小猪和维尼在储藏室里找呀找，真的翻出了许多旧东西。“小鸟肯定用得上！”维尼高兴地说。

维尼和小猪往手推车里装了许多东西，然后兴冲冲地出了门。可是，不好！“咣！”的一声，手推车撞到大石头上去了，车里的东西全都掉了出来！维尼也身子一歪(wāi)，摔了个屁股蹲儿。

没等维尼坐稳，小猪就忍不住“咯咯”地笑了起来！维尼困惑地说：“小猪，你笑什么？我觉得头上有个东西，可它好像并不属于我的头！”原来是一个旧茶(chá)壶(hú)扣到了他的头上。

大笑过后，维尼和小猪呆呆地盯着满地的东西。小猪说："没关系，我看这些东西对建鸟窝可能也没什么用。"

正在这时，维尼的肚子又开始"咕咕"地叫了。维尼不好意思地说："我的肚子想吃蜂蜜了。""你的肚子老是要吃蜂蜜！"小猪咧着嘴微笑着说。

现在除了回家吃饭，还能有什么办法呢？吃完蜂蜜，维尼又露(lù)出(chū)了满足的笑容："我的肚子现在舒服多了！"小猪赶紧说："那好，我们再去帮小鸟建鸟窝吧！"他可没忘了这事。

令维尼和小猪吃惊的是，他们刚到院子里，就发现小鸟已经做好了一个窝。等他们再仔细一瞧，又立刻兴奋起来……

那个旧茶壶！就是刚才那个从手推车上掉下来的旧茶壶——小鸟就是用它建了新家！"我们真的帮小鸟建了个窝！"说这话时，维尼充满了自(zì)豪(háo)！

春天是小鸟忙着做窝的季节，小朋友们可以在爸爸、妈妈的帮助下亲自动手为它们做鸟窝，这样既可以帮助小鸟，又可以锻炼你的动手能力。还犹豫什么？快行动吧！

想要做成一件事就需要不断付出辛苦与努力，也只有这样，你才能真切地体会到收获的喜悦。

小猪的向日葵

一个阳光明媚的春日，小熊维尼来找小猪一起去散步，感受一下春天的气息。小猪正在花园里忙着呢，听完维尼的建议，他高兴地说：“散步？好啊。等(děng)我给向日葵浇完水就和你一起去。”

维尼这才注意到小猪种(zhòng)的花，惊叹道：“哇！好高的向日葵啊！”小猪兴奋地告诉维尼：“是呀，我都等不及了，不知花什么时候才能开！花开时一定很漂亮！”

浇完水他们就出去散步了。一路上，小猪不停地念叨着自己的向日葵。路过瑞比家时，小猪突然发现：瑞比的花园里也种了很多漂亮的向日葵。小猪尖着嗓门叫道：“维尼，快看呀，瑞比的向日葵已经开(kāi)花(huā)了！”

瑞比得意洋洋地说：“嘿，怎么样，我的向日葵够漂亮吧？今天一大早就开了。”维尼安慰小猪说：“也许等你回到家，你的向日葵也开花了呢。”

小猪一听，便急不可待地拔腿就往家跑，想看看自己的向日葵怎么样

了。他一路冲(chōng)在前面，边跑边喊："快点儿，维尼！"维尼气喘吁吁地说："维尼熊对赶路可不怎么在行啊！"

小猪冲进他的花园，径直跑到小花圃前便愣(lèng)住了——他的向日葵还是没有动(dòng)静(jìng)。小猪失望地叹了口气："唉，怎么还是这样啊？"

维尼也赶到了，他安慰小猪说："没关系，小猪。咱们先去吃饭吧，过

一会儿再来看。也许等我们吃饱了，向日葵就开了。"于是，他们一起回到屋里，开始吃午餐。

午饭是吃完了，可向日葵还是静悄(qiāo)悄(qiāo)的没有任何变化。

小猪难过地说："维尼，肯定是有些事我没做好——也许，我的水浇得

还不够多？"正说着，维尼咧开嘴笑了，"快看！"他喊道。

小猪赶紧转(zhuǎn)过身，正好看见向日葵在刹(chà)那(nà)间(jiān)绽开了笑脸。小猪快活极了，兴奋地欢呼起来！

看，小猪的辛劳终于得到了回报。春天来了，万物复苏，小朋友们可以和爸爸、妈妈一起动手，亲自种一株花草，也来体会一下那种伴随花草从发芽到开花结果的喜悦！

安全、有益的探险，不仅能增进朋友间的友谊，还能锻炼胆量，不妨尝试一下。

百亩林寻宝记

一天，猫头鹰又在讲他的恐(kǒng)怖(bù)故事，“……就这样，强盗们把金银财宝藏在这片树林里，然后就再也没有人见过这些宝(bǎo)贝(bèi)。”

听完后，屹耳不禁忧(yōu)心(xīn)忡(chōng)忡(chōng)地问：“万一强(qiáng)盗(dào)们回来找财宝，我们该怎么办呀？”维尼安慰屹耳说：“别担心，屹耳，这只不过是个故事。”

“故事？”跳跳虎叫了起来，“才不是呢！猫头鹰总是告诉我们实话。哈，瞧我的吧，我要在百亩林里寻找失(shī)踪(zōng)的财宝！”

第二天一早，跳跳虎就挨家挨户去敲门，把朋友们召(zhào)集(jí)起来。屹耳问：“跳跳虎，我们非去不可吗？”跳跳虎斩(zhǎn)钉(dīng)截(jié)铁(tiě)地说：“当然！还有谁愿意去把财宝找回来？”

看到跳跳虎胸有成竹的劲头儿，朋友们也都兴奋起来，纷纷举手跃跃欲试，毕竟寻宝是件有趣的事呀！于是，大家一同出发。走了不一会儿，跳

跳虎就拿出藏宝图查看起来，“猫头鹰说过，财宝就藏在河边的大橡树下。”

维尼指着前面问跳跳虎：“你是说那条河吗？”“就是那条河！老伙

计！我们快去找吧！”

大家连忙跑过去，维尼拿起铁锹就在跳跳虎认定的地方使劲儿挖。小猪不敢相信会有这么好的运(yùn)气(qi)；屹耳在一旁吓得瑟瑟发抖，他关(guān)心(xīn)的是另一件事：“我更担心那些强盗！万一……”

突然，维尼挖出了一只箱子。“找到了！找到了！”跳跳虎兴奋地叫起来。维尼捧(pěng)着箱子说：“我们先打开看看里面是不是财宝。”

可是盒子里根本就没有财宝，这里面装的是维尼的午餐！维尼咧开嘴笑了：“我说呢，我就记得把午餐埋在什么地方来着！”看着失而复得的午餐，大家都哈哈大笑起来，屹耳也不

再愁眉苦脸了。维尼请朋友们一起吃三明治，就当作是寻宝的收获吧！

小朋友，你是不是也有和伙伴们一起探险的经历呢？虽然不一定每次都有所发现，但是探险却增进了伙伴们之间的友谊，也锻炼了胆量，这就是最大的收获！

"走进大自然"是学习知识、享受乐趣的好机会，放假时多去亲近自然，一定会有收获的。

寻找珍稀动物

一天，瑞比和跳跳虎一起去远足。临出(chū)发(fā)前瑞比兴奋得直嚷嚷："不知道我们能不能找到珍(zhēn)稀(xī)动物！"

一路上，他们东瞧瞧、西看看，一门心思要找珍稀动物，一点儿也没注意到前面的路(lù)分成了两条，他们两人已经走散了。

"跳跳虎，我们休息一会儿好吗？"瑞比问。可是，跳跳虎早就没

影儿了！瑞比只好掉转头……

不早不晚，跳跳虎正好在此刻跳到了瑞比的身边！他俩"砰"的一声撞了个满怀，几乎同时直着嗓子叫起

来："哇，你在这儿呢！"

两个伙伴就这样又聚到了一起。接着，跳跳虎和瑞比又沿(yán)着(zhe)树林往前走，可兜了好长时间的圈(quān)子(zi)还是一无所获，到头来他俩又饿又累，全没了刚出发时的劲头儿。跳跳

虎开始抱怨："唉，这儿根本没有什么珍稀动物，我们还是回家吧！"瑞比也没心思再找下去了，连忙点头表示同意。

可是，究竟走哪条路才能到家呢？他俩争论起来，谁也不肯让(ràng)步(bù)。瑞比急得眉毛都竖了起来，跳跳虎则一副决不妥协的样子瞪(dèng)着他。

就在这时，瑞比恰巧看到一簇鲜艳的鸟羽(yǔ)毛(máo)竖在离他们不远的一片灌木丛中。"哇，快看！"瑞比说，"那一定是一只珍稀鸟类！"

"嘘！别把它给吓跑了！"跳跳虎完全忘了和瑞比之间的争论，拉着他一起蹑(niè)手(shǒu)蹑(niè)脚(jiǎo)地向灌木丛挪动。

等到他俩慢慢起身一看——原来是小猪举着个羽毛掸(dǎn)子(zi)站在那儿呢！跳跳虎恍然大悟地说："噢，原来羽毛是掸子上的呀！"小猪解释

说："我正要去把羽毛掸子还(huán)给袋鼠妈妈呢！"

"嗯——"跳跳虎舒了口气，朝瑞比一挥手，示意他说："我们还是和小猪一起走吧！虽然没找到什么珍稀动物，但是，我们至少还找到了回家的路。"

远足有很多好处，既可以锻炼身体，又能在远足途中收获许多新发现，而且和家人或朋友一起远足，还能增进感情交流……放假的时候，记得叫上家人和朋友一起去远足哦！

让自己拥有一双善于发现的眼睛，就能从不幸中看到希望、光明和快乐。

大冷天的乐趣

一天早上，维尼醒来后觉得特别冷。他看了看窗外，发现所有的东西都结(jié)冰(bīng)了。他打了个寒(hán)战(zhàn)说："我饿了，该吃东西了！"

维尼找出了他的厚(hòu)外衣、羊毛帽子和手套，一边穿戴着一边抱怨说："我一点儿也不喜欢大冷天，给我添了这么多麻烦！"可他不知道更麻烦的还在后头呢！

维尼去拿早餐时吓了一跳：所有的蜂蜜都冻上了。他把罐子倒扣过来使劲地摇晃，可蜂蜜还是一动不动。他无奈地说："真糟糕！看来我要挨饿了！"

维尼转念一想："我的朋友们也许能帮得上忙呢！"于是，他抱着蜂蜜罐急(jí)匆(cōng)匆(cōng)地出了门。由于肚子不断地发出"咕噜噜"的声音向他抗议，他决定抄近路从结冰的湖(hú)面(miàn)上走过去。

可是维尼刚一踩到湖面上脚底就开始打滑了。"要是在平时，我才不会走不稳呢！"他边走边不停地嘟囔着。

小豆看见维尼左(zuǒ)摇(yáo)右(yòu)摆(bǎi)的样子，还以为他在冰上玩呢。"结冰的天真好！对吧，维尼？"小豆笑着问他。

这时，瑞比也来了。他说："再也没有比滑冰更好玩儿的了！"但维尼

可不这么认为，他正在努力使自己保持平(píng)衡(héng)呢。

突然，维尼不小心摔了个四(sì)脚(jiǎo)朝(cháo)天(tiān)。他生气地叫起来："我讨厌大冷天！我的蜂蜜全都不能吃，现在又摔了一跤！"

正在这时，跳跳虎过来了。他说："好多冰柱啊！有的舔喽！"说完他津津有味地在一根冰柱上舔了舔，又滑到别处去了。

维尼看了看手中冻住的蜂蜜，突然有了个好主意："不管怎么吃，蜂蜜总还是蜂蜜呀！"

维尼使劲儿把冻住的蜂蜜从蜜罐里拔了出来。"现在我也喜欢结冰的天气了！要不我也吃不上蜂蜜冰棒了！"维尼边舔(tiǎn)嘴(zuǐ)边笑着说。同样分到蜂蜜冰棒的小豆和瑞比也跟着笑了起来……

大冷天实在有点儿难熬！看，维尼本来就饿着肚子，结果又被冰滑倒了，真够烦人的。可是大自然的乐趣也正在于此，一年四季各有各的乐趣，我们要学会乐在其中！

大自然中的现象千奇百怪，要善于发现问题，探询真相。你一定能在这个过程中收获很多的乐趣。

小笨熊

一天，天气非常好，罗宾带着小熊维尼去郊(jiāo)外(wài)散步。一路上，维尼一言不发，似乎有什么心事。罗宾觉得很奇怪，心想："维尼怎么了，为什么一句话都不说呢？"

罗宾轻轻地问维尼："维尼，你今天显得很安(ān)静(jìng)，发生什么事了吗？"

维尼吞吞吐吐地说："罗宾，我正在思考一个问题，可我怎么也想不明白。你能告诉我长鼻怪是什么颜色的吗？"罗宾想了想，回答说："噢，我

想应该是灰(huī)色(sè)的吧！"

"原来如此！"维尼边说边迅速地躲(duǒ)到了罗宾的身后，紧紧地抱住他的腿说："我已经发现了，快看，那儿就有一个长鼻怪！咱们得小心点儿！"接着，他又加了一句："说不定

那儿有两个可怕的长鼻怪呢！啊，咱们快躲起来吧！”

罗宾被维尼弄得一头雾水，他顺着维尼指的方向抬头看了看，原来是天上的云(yún)彩(cai)在不断变换着形状，这会儿正组成了一条粗线状的东西，怪不得维尼说有长鼻怪呢！罗宾望着吓得浑身发抖的维尼，忍不住笑出了声。他连忙对维尼解释说：“你这只小笨熊！那只是天空中的一片云！哪有什么长鼻怪！”

正说着，他们突然发现有样黑色的东西在一块大岩(yán)石(shí)上移动。这下罗宾也吓了一大跳！刚刚放松下来的维尼又一次紧张地抱住了罗宾。

他们大着胆子一步一步走上前，

凑过去仔(zǐ)细(xì)一看，大家猜他们发现了什么？原来是屹耳！他正好路过这里，那个会移动的黑色东西只不过是他的影(yǐng)子(zi)罢了！

后来，维尼和朋友们在一起喝下午茶时，跳跳虎也提到了长鼻怪的故事，这让维尼想起了自己的经历，他觉得自己很可笑。罗宾不小心把维尼的事说了出来，小猪笑得直喊肚子疼，维尼生气地做起了鬼(guǐ)脸(liǎn)儿，一个劲儿地否认自己做过这件傻事！

小朋友，你们在生活中是不是也做过类似的傻事呢？其实用不着觉得难为情，只要你们弄明白事情的真相就行啦！

在探险中不仅能激发出热情，而且会发现很多乐趣。赶快踏上你的探险征程，做个勇敢的“小探险家”吧。

寻宝图

一个微(wēi)风(fēng)轻(qīng)拂(fú)的日子，维尼正抱着蜂蜜罐大饱口福。一张纸从维尼家的窗口飘了进来，刚好蒙在他脸上。“噢，天啊！这是什么？”维尼叫道。

维尼把纸从脸上拽(zhuài)下来，展开一看说：“这好像是一幅地(dì)图(tú)。”当他发现纸的一角有个大大的X记号，马上激动地大叫：“这是一张寻宝图！”

可是维尼看不懂地图。他想：“我还是去找一个能看得懂的人吧！”于是，他立刻出门，先找到了跳跳虎，向他说明了缘由。

“看地图可是我最在行的！”跳跳虎边说边拿着地图翻过来倒过去地瞅着。

“咱们得先找两把铁(tiě)锹(qiāo)。”跳跳虎宣布。他们很快就在跳跳虎的工具棚里找到了，然后立刻出发。

“嗯，地图上显示，X记号在三棵大树旁边，要是我们能找到这三棵树就能找到宝(bǎo)藏(zàng)！”跳跳虎向维尼解释说。

这时，维尼指着远处兴奋地喊道：“快看，瑞比家附近的田(tián)

说："你们真够朋友！你们发现了我要挖井的计划，还替我挖好了！我一定要好好感谢你们！"跳跳虎和维尼被说得晕乎乎的，半天才明白过来是怎么回事。

瑞比盛情款(kuǎn)待(dài)了维尼和跳跳虎。维尼笑着说："那张纸虽然不是寻宝图，不过我们还是得到了一个大大的奖(jiǎng)赏(shǎng)！这也不错！"

探险寻宝是每个小朋友的梦想，但可不是所有的"探险"都会有收获，认真去体味每一次探险的乐趣与激情才是最重要的！

野(yě)里刚好有三棵大树！"

于是，他们迅速来到田野里，可赶到时两人都吃了一惊。"这是怎么回事？在我们要挖(wā)宝的地方，刚好画着一个X记号！"跳跳虎问。

来不及想太多了，维尼和跳跳虎立即开始挖宝。"我真想马上知道咱们会找到什么样的宝贝？"维尼边干活儿边兴奋地说。

他们卖力地挖呀，挖呀，洞越来越深。"哎，是谁把宝藏埋在这么难找的地方呀！"跳跳虎抱怨说。

正在这时，瑞比来了。他看着这个大洞，高兴地